To the Student

This *Cahier d'exercices oraux et écrits* and the accompanying audio program are fully coordinated with your intermediate French text, *En cours de route*. The lessons in the *Cahier* correspond in theme, vocabulary, and grammatical context to the fifteen lessons of the text. In addition, each lesson of the *Cahier* and audio program contain a variety of new exercises and activities different from those in the text. They are an integral part of learning at the intermediate level, offering you the opportunity to sharpen your skills in understanding, speaking, reading, and writing the French language. They will also help you to develop the capability to think in French, and will prepare you both linguistically and culturally for a possible visit to France or a French-speaking country.

The *Cahier d'exercices oraux et écrits* is divided into two parts. The *exercices oraux* present oral exercises that correspond to the material recorded on the tapes. All taped material is performed by native speakers. Each lesson is divided into the following four sections:

I. *Prononciation et discrimination auditive*. In this section, you will review all aspects of pronunciation, including vowels, consonants, linking, intonation and stress, and recitation of poetry. The brief and simple exercises will help you perfect those aspects of your pronunciation still needing improvement.

II. *Grammaire et syntaxe*. The exercises in this section will help you achieve oral mastery of the grammar. Practice in this area will develop skill in speaking and will give you a sense of ease with the language. The directions and model sentence for each exercise on the tapes are printed in this section of the *Cahier*. Each exercise follows this pattern: question, time for your response, and correct response.

III. *Compréhension orale*. In this section you will listen to a brief dialogue based on the theme of the lesson. Each dialogue will be read once, followed by a multiple-choice exercise that you will complete in your *Cahier*. Feel free to rewind the tape and listen to the dialogue as many times as necessary to complete the exercise correctly.

IV. *Dictée*. First, you will hear a passage read at normal speaking speed. Then, a brief portion of the passage will be read a second time, more slowly, so that you may write it down where indicated in your *Cahier*.

The second part of your *Cahier* contains the *exercices écrits*. It has written exercises that will expand your vocabulary and develop your writing skills. *Exercices pratiques* is a special section containing many useful exercises that will give you the ability to deal with everyday situations that you would encounter in a French-speaking country: reading street maps and train schedules, answering want ads, filling out credit card applications and bank deposit slips, selecting hotels and restaurants. An occasional crossword puzzle has been included for fun, while helping you measure how far you have come in your study of French. (Answers for the puzzles are included at the end of this *Cahier*.)

En cours de route has been designed to develop all aspects of your ability to communicate in French. The audio program and *Cahier d'exercices oraux* will improve your conversational skills, as well as your ability to understand French as spoken by native speakers. The *Cahier d'exercices écrits* will help you to become more proficient in grammar and vocabulary and will develop your writing skills. *Bon courage et bon travail!*

R.M.M.

TABLE DES MATIÈRES

Cahier d'exercices oraux

Leçon 1: Les jeunes 1

Leçon 2: Le travail 7

Leçon 3: La communication 13

Leçon 4: Les vacances 19

Leçon 5: Les transports 25

Leçon 6: Le mariage 31

Leçon 7: Parents et enfants 37

Leçon 8: À table 43

Leçon 9: Portraits 51

Leçon 10: L'imagination et les émotions 59

Leçon 11: Le sens de la vie 67

Leçon 12: Conceptions de la vie 73

Leçon 13: Les arts 79

Leçon 14: La guerre 85

Leçon facultative: L'amour et l'amitié 91

Cahier d'exercices écrits

Leçon 1: Les jeunes 99

Leçon 2: Le travail 115

Leçon 3: La communication 135

Leçon 4: Les vacances 153

Leçon 5: Les transports 171

Leçon 6: Le mariage 187

Leçon 7: Parents et enfants 203

Leçon 8: À table 221

Leçon 9: Portraits 235

Leçon 10: L'imagination et les émotions 249

Leçon 11: Le sens de la vie 265

Leçon 12: Conceptions de la vie 275

Leçon 13: Les arts 289

Leçon 14: La guerre 303

Leçon facultative: L'amour et l'amitié 313

Réponses aux mots croisés 320

CAHIER D'EXERCICES ORAUX

Leçon 1

PREMIÈRE PARTIE: PRONONCIATION ET DISCRIMINATION AUDITIVE

Les voyelles [i] et [y]

Pour former le son [i], *écartez bien les lèvres comme si vous faisiez un grand sourire:* [i].

Répétez le son et les mots que vous allez entendre.

[i] il, midi, fini, synonyme

Maintenant, répétez les phrases suivantes.

Mimi a fini à midi.
Lili est partie pour le Chili.
Marie a puni Guy.
Fifi et Henri sont sortis.

Pour former le son [y], *projetez les lèvres en avant comme si vous alliez embrasser quelqu'un:* [y].

Répétez le son et les mots que vous allez entendre.

[y] tu, lune, puni, rue

Maintenant, répétez les phrases suivantes.

As-tu vu la lune?
Tu as bu.
Tu es têtu.
J'ai vu des tulipes.
Il est descendu dans la rue.

Les consonnes [R] et [l]

Pour former le son [R], *montez la partie postérieure de la langue, comme si vous grogniez comme un chien:* [R].

Répétez le son et les mots que vous allez entendre.

[R] **rire, rue, roue, robe**

Maintenant, répétez les phrases suivantes.

Rita a ri mardi.
Marc est revenu tard.
Raymond reconnaît l'erreur.
Charles et Henri riront ce soir.

Pour former le son [l], *placez le bout de la langue contre les dents supérieures:* [l].

Répétez le son et les mots que vous allez entendre.

[l] **le, lu, lit, il**

Maintenant, répétez les phrases suivantes.

Lili a lu le journal.
Raoul lira la nouvelle.
Lulu et Marcel ont oublié leurs livres.
Elle a parlé avec Charles.

Les consonnes [s] et [z]

Pour former le son [s], *montez la partie antérieure de la langue comme si vous alliez siffler comme un serpent:* [s].

Répétez le son et les mots que vous allez entendre.

[s] **si, ça, ceci, assis**

Maintenant, répétez les phrases suivantes.

Cécile a laissé la lessive.
Ils sont sortis ce soir.
À samedi soir, c'est ça!
Je serais surprise s'il savait.

Nom ______________________________ Classe ______________ Date ______________

Pour former le son [z], *montez la partie antérieure de la langue et expirez en faisant vibrer les cordes vocales:* [z].

Répétez le son et les mots que vous allez entendre.

[z] zoo, choisir, seize, civilisation

Maintenant, répétez les phrases suivantes.

Nous choisissons onze zèbres.
Les deux enfants zézayent.
Douze danseuses s'exercent au gymnase.

DEUXIÈME PARTIE: GRAMMAIRE ET SYNTAXE

I. Le présent de l'indicatif

A. Donnez une réponse affirmative aux questions suivantes.

Modèle: Faites-vous votre travail?
Oui, je fais mon travail.

B. Maintenant, donnez une réponse négative.

Modèle: Êtes-vous toujours ponctuelle?
Non, je ne suis pas toujours ponctuelle.

C. Donnez le pluriel des phrases suivantes.

Modèle: Il aime lire.
Ils aiment lire.

D. Répondez aux questions suivantes en vous servant des suggestions.

Modèle: Depuis combien de temps aimez-vous le cognac? (quelques mois)
J'aime le cognac depuis quelques mois.

Avant de faire les exercices suivants, souvenez-vous que la phrase "J'habite ici depuis un an," peut être exprimée de trois autres manières:

Il y a un an que j'habite ici. ou
Cela fait un an que j'habite ici. ou bien
Voilà un an que j'habite ici.

E. Répondez aux questions suivantes.

Modèle: Il y a combien de temps que vous habitez ici?
Il y a un an que j'habite ici.

F. Répondez aux questions suivantes.

Modèle: Depuis combien de temps habites-tu ici?
Cela fait quelques mois que j'habite ici.

G. Répondez aux questions suivantes.

Modèle: Depuis combien de temps lisez-vous ce journal?
Voilà six mois que je lis ce journal.

H. Répondez aux questions suivantes en précisant le point de départ de votre action.

Modèle: Depuis quand habitez-vous ici? (septembre)
J'habite ici depuis septembre.

I. Quelles sont vos préférences personnelles? Répondez aux questions suivantes.

II. L'impératif

A. Imaginez que vous êtes professeur et que vous donnez des ordres à votre classe.

Modèle: Dites-lui de bien étudier.
Étudiez bien!

B. Imaginez que votre camarade de chambre vous demande des conseils.

Modèle: Faut-il aller à la bibliothèque?
Oui, va à la bibliothèque.

C. Mettez les phrases suivantes à la première personne du pluriel.

Modèle: Faire un pique-nique.
Faisons un pique-nique.

D. Imaginez que vous donnez la recette pour une quiche lorraine à une amie.

Modèle: Je mets la pâte dans un moule à tarte.
Mettez la pâte dans un moule à tarte.

Nom ______________________________ Classe ______________ Date ______________

III. Le futur proche et le passé récent

A. Donnez une réponse originale aux questions suivantes.

B. Transformez les phrases suivantes en utilisant le passé récent.

Modèle: Il a choisi un sujet d'essai, il y a une heure.
Il vient de choisir un sujet d'essai.

TROISIÈME PARTIE: COMPRÉHENSION ORALE

D'abord, vous allez entendre quelques mots. Répétez chaque mot et écoutez sa définition. Vous devez comprendre ces mots pour bien comprendre le passage qui suit.

interdire ne pas permettre
en cachette en secret
n'importe quoi n'importe quelle chose

Le passage que vous allez entendre est adapté de l'article "Majorité à dix-huit ans et indépendance des jeunes". Écoutez attentivement et essayez de comprendre les idées générales. Il y aura cinq questions à la fin du passage.

À partir de 18 ans, les jeunes peuvent quitter la maison de leurs parents sans demander leur accord. Ils peuvent aller vivre où ils veulent, se marier librement, demander un passeport.

Exercice de compréhension orale

Écoutez les questions suivantes et choisissez la réponse correcte.

1. a b c
2. a b c
3. a b c
4. a b c
5. a b c

QUATRIÈME PARTIE: DICTÉE

Vous allez entendre un dialogue entre Gilles et Guillaume. La première fois, écoutez seulement et n'écrivez pas. Essayez de comprendre de quoi il s'agit. La deuxième fois, écrivez ce que vous entendez.

Gilles: ____

____

____

____

____

____

____

Guillaume: ____

____

____

____

____

____

____

____

Extrait de: Gilbert Quennelle/
Jacques Verdon/André
Reboullet, "Pour ou Contre,"
Textes en français facile,
Civilisation, Hachette,
Éditeur, 1977.

Leçon 2

PREMIÈRE PARTIE: PRONONCIATION ET DISCRIMINATION AUDITIVE

Les voyelles [ə], [e], [ɛ]

Pour former le son [ə], *ouvrez légérement la bouche tout en relâchant entièrement les lèvres et la langue:* [ə].

Répétez le son et les mots que vous allez entendre.

[ə] le, de, devant, recette

Maintenant, répétez les phrases suivantes.

Il fera le repas.
Le petit est devant le bureau de son maître.
Le cheval se fatigue.

Pour former le son [e], *écartez bien les lèvres en ouvrant la bouche à demi:* [e].

Répétez le son et les mots que vous allez entendre.

[e] café, les, et, parler, fermez, cahier

Maintenant, répétez les phrases suivantes.

J'ai versé le café et le thé.
Allez chercher les papiers nécessaires.
Fermez les cahiers.

Pour former le son [ɛ], *ouvrez la bouche à demi en écartant un peu les lèvres:* [ɛ].

Répétez le son et les mots que vous allez entendre.

[ɛ] mère, merci, l**ait**, jou**et**, **est**, tête

Maintenant, répétez les phrases suivantes.

Mon père remercie le m**ai**re.
Il a f**ait** la fête.
Sa mère **est** sévère.

Les consonnes [f] et [v]

Pour former le son [f], *mettez les dents supérieures contre la lèvre inférieure et expirez:* [f].

Répétez le son et les mots que vous allez entendre.

[f] **f**aire, **ph**onographe, **f**rotter, si**ff**ler

Maintenant, répétez les phrases suivantes.

François **f**ait la **f**ête.
Frédérique **f**era du ca**f**é.
Fi**f**i **f**rotte la cara**f**e.
Il **f**aut **f**aire un e**ff**ort.

Pour former le son [v], *mettez les dents supérieures contre la lèvre inférieure en faisant vibrer les cordes vocales:* [v].

Répétez le son et les mots que vous allez entendre.

[v] na**v**ire, **v**érité, **v**er**v**eine, **v**eu**v**e

Maintenant, répétez les phrases suivantes.

L'a**v**ion **v**a **v**ite.
É**v**a la**v**e la **v**itre.
É**v**eline dé**v**ore le **v**eau.
Véra rê**v**a d'une **v**ipère.

Nom ______________________ Classe ____________ Date ____________

Les consonnes occlusives [g] et [ʒ]

Pour former le son [g] *montez la partie postérieure de la langue en fermant le canal buccal, puis, ouvrez-le brusquement en expirant:* [g].

Répétez le son et les mots que vous allez entendre.

[g] figure, grincer, exact, glouglou

Maintenant, répétez les phrases suivantes.

Greta gronde le garçon.
Gogo galope à la gare.
Regarde la grande glace.
Grand-mère gronde la gamine

Pour former le son [ʒ], *montez la langue en faisant vibrer les cordes vocales:* [ʒ].

Répétez le son et les mots que vous allez entendre.

[ʒ] jour, agir, âge, gymnase

Maintenant, répétez les phrases suivantes.

Gigi agit mal.
Jean-Jacques est majeur.
Jérôme joue aujourd'hui.
Gertrude a une jolie jupe.

DEUXIÈME PARTIE: GRAMMAIRE ET SYNTAXE

I. L'article défini et indéfini

A. Donnez le pluriel des phrases suivantes.

Modèle: La dame est au marché.
Les dames sont au marché.

B. Donnez le singulier des phrases suivantes.

Modèle: Ce sont des problèmes difficiles.
C'est un problème difficile.

C. Formez des phrases en ajoutant l'article défini.

Modèle: Il lève (tête)
Il lève la tête.

D. Formez des phrases en ajoutant la préposition **à.**

Modèle: la tête (J'ai mal)
J'ai mal à la tête.

E. Répondez aux questions suivantes.

Modèle: De qui parlez-vous? (le professeur)
Je parle du professeur.

II. Le partitif

A. Transformez les phrases suivantes.

Modèle: J'aime le camembert.
Donnez-moi du camembert.

B. Répondez aux questions suivantes en vous servant de l'expression indiquée.

Modèle: Faites-vous des progrès? (beaucoup)
Je fais beaucoup de progrès.

C. Transformez les phrases suivantes.

Modèle: Est-ce qu'il veut du fromage?
Mais il n'y a pas de fromage!

III. Les pronoms objets directs et indirects

A. Répondez aux questions suivantes.

Modèle: Vous m'appelez?
Oui, je vous appelle.

B. Transformez les phrases suivantes.

Modèle: Il lui téléphone.
Il ne lui téléphone pas.

C. Remplacez le complément direct ou indirect par un pronom.

Modèle: Il me donne le cadeau.
Il me le donne.

Nom ______________________________ Classe ______________ Date ______________

D. Transformez les phrases suivantes en remplaçant le complément direct ou indirect par un pronom.

Modèle: Parlez à votre père.
Parlez-lui!

E. Répondez négativement en remplaçant le complément direct ou indirect par un pronom.

Modèle: Faut-il écrire à Monsieur Dufour?
Ne lui écrivez pas encore.

F. Transformez les phrases suivantes en remplaçant le complément direct par un pronom.

Modèle: Prête-moi ton livre!
Prête-le-moi!

G. Répondez négativement en remplaçant le complément direct par un pronom.

Modèle: Veux-tu voir mes photos?
Non, ne me les montre pas encore.

H. Répondez affirmativement en remplaçant le complément direct ou indirect par un pronom.

Modèle: Peut-il faire ce travail?
Oui, il peut le faire.

IV. Adjectifs possessifs

A. Répondez affirmativement aux questions suivantes.

Modèle: Est-ce ton ami?
Oui, c'est mon ami.

B. Répondez affirmativement aux questions suivantes. Utilisez le pronom possessif convenable.

Modèle: Est-ce le chapeau de Monsieur?
Oui, c'est son chapeau.

TROISIÈME PARTIE: COMPRÉHENSION ORALE

D'abord, vous allez entendre quelques mots. Répétez chaque mot et écoutez sa définition. Vous devez comprendre ces mots pour bien comprendre le passage qui suit:

la formation l'éducation intellectuelle
lancer faire connaître, entrer

Écoutez le dialogue suivant. Essayez de comprendre de quoi il s'agit. Il y aura quatre questions à la fin du dialogue.

Exercice de compréhension orale

Écoutez les questions suivantes et choisissez la réponse correcte.

1. a b c
2. a b c
3. a b c
4. a b c

QUATRIÈME PARTIE: DICTÉE

Le paragraphe suivant sera lu deux fois. La première fois, écoutez seulement et n'écrivez pas. Essayez de comprendre de quoi il s'agit. La deuxième fois, écrivez ce que vous entendez.

____

____

____

____

____

____

____

____

Leçon 3

PREMIÈRE PARTIE: PRONONCIATION ET DISCRIMINATION AUDITIVE

Les voyelles [o] et [ɔ]

Pour former le son [o], *arrondissez les lèvres en les projetant en avant:* [o].

Répétez le son et les mots que vous allez entendre.

[o] m**o**t, **o**live, g**au**che, **eau**, h**ô**pital

Maintenant, répétez les phrases suivantes.

P**au**l a **ô**té son mant**eau**.
Cl**au**de a s**au**té une f**au**te.
Le b**eau** chap**eau** j**au**ne est à l'**eau**.

Pour former le son [ɔ], *arrondissez les lèvres en ouvrant la bouche à demi:* [ɔ].

Répétez le son et les mots que vous allez entendre.

[ɔ] r**o**be, deh**o**rs, b**o**tte, h**o**r**o**sc**o**pe

Maintenant, répétez les phrases suivantes.

Nic**o**le p**o**rte ses b**o**ttes à l'éc**o**le.
Il se m**o**que de ma r**o**be.
V**o**tre n**o**te est b**o**nne.
V**o**tre h**o**r**o**sc**o**pe est h**o**rrible.

Les voyelles [a] et [ɑ]

Pour former la voyelle [a], *ouvrez bien la bouche en écartant les lèvres:* [a].

Répétez le son et les mots que vous allez entendre.

[a] avion, papa, la, attendez

Maintenant, répétez les phrases suivantes.

Papa est allé à Paris.
Il a avalé la patate.
L'avion arriva à quatre heures.

Pour former la voyelle [ɑ], *ouvrez bien la bouche en laissant tomber la mâchoire:* [ɑ].

Répétez le son et les mots que vous allez entendre.

[ɑ] âne, tas, pâtes, baser

Maintenant, répétez les phrases suivantes.

L'âne a mangé les pâtes.
Il a bâti un bâtiment.
Le gâteau est gâché.

Les consonnes occlusives [k] et [ks]

Pour former le son [k] *montez la partie postérieure de la langue en fermant le canal buccal, puis, ouvrez-le brusquement en faisant le bruit* [k].

Répétez le son et les mots que vous allez entendre.

[k] qui, képi, cas, cou, acquérir

Maintenant, répétez les phrases suivantes.

Qui croit connaître Quimper?
Le kangourou s'est cassé le cou.
Qu'est-ce qu'elle réclame?
Catherine crie à la cuisine.

Répétez le son et les mots que vous allez entendre.

[ks] taxi, action, accident, xylophone

Nom ______________________________ Classe ______________ Date ______________

Maintenant, répétez les phrases suivantes.

Max a boxé.
On taxe les objets de luxe.
Obélix et Astérix aiment les rixes.

DEUXIÈME PARTIE: GRAMMAIRE ET SYNTAXE

I. Le passé composé

A. Mettez les phrases suivantes au passé composé.

Modèle: Il meurt.
Il est mort.

B. Mettez les phrases suivantes au passé composé.

Modèle: Il lui parle.
Il lui a parlé.

C. Mettez les phrases suivantes à l'interrogatif.

Modèle: Tu as dansé.
As-tu dansé?

D. Mettez les phrases suivantes au négatif.

Modèle: Avez-vous compris?
N'avez-vous pas compris?

E. Répondez affirmativement aux questions suivantes.

Modèle: M'avez-vous attendu?
Oui, je vous ai attendu.

F. Répondez négativement aux questions suivantes.

Modèle: N'êtes-vous pas arrivé à l'heure?
Non, je ne suis pas arrivé à l'heure.

G. Répondez aux questions suivantes par une phrase originale.

II. L'imparfait

A. Mettez les phrases suivantes à l'imparfait.

Modéle: J'ai quinze ans.
J'avais quinze ans.

B. Répondez affirmativement aux questions suivantes.

Modèle: Faisiez-vous du sport quand vous étiez enfant?
Oui, je faisais du sport quand j'étais enfant.

C. Répondez négativement aux questions suivantes.

Modèle: Écrivais-tu une lettre quand je suis entrée?
Non, je n'écrivais pas de lettre quand tu es entrée.

D. Transformez les phrases suivantes en employant l'imparfait.

Modèle: Nous discutons. Ils regardent la télévision.
Nous discutions pendant qu'ils regardaient la télévision.

E. Répondez aux questions suivantes.

Modèle: Depuis combien de temps étudiais-tu le français quand tu es allé en France?
J'étudiais le français depuis deux ans quand je suis allé en France.

F. Transformez les phrases suivantes.

Modèle: Il dit "Il fait du soleil."
Il a dit qu'il faisait du soleil.

G. Mettez les phrases suivantes au passé.

Modèle: Il pense qu'Antoine doit le faire.
Il pensait qu'Antoine devait le faire.

III. Le plus-que-parfait

A. Combinez les deux phrases que vous allez entendre.

Modèle: J'ai mangé. Ensuite, il m'a invité à dîner.
Il m'a invitée à diner mais j'avais déjà mangé.

B. Transformez les phrases suivantes.

Modèle: Il a demandé "Qu'est-ce que vous avez fait?"
Il a demandé ce que nous avions fait.

Nom ______________________________ Classe ______________ Date ______________

TROISIÈME PARTIE: COMPRÉHENSION ORALE

Vous allez entendre une communication téléphonique entre deux jeunes femmes. Écoutez attentivement et essayez de comprendre de quoi elles parlent. Il y aura cinq questions à la fin de leur conversation.

Exercice de compréhension

Écoutez les questions suivantes et choisissez la réponse correcte.

1. a b c
2. a b c
3. a b c
4. a b c
5. a b c

QUATRIÈME PARTIE: DICTÉE

Vous êtes secrétaire, et votre patron vous demande d'écrire une lettre qu'il vous dicte. Il lira la lettre deux fois. La première fois, écoutez et essayez de comprendre ce qu'il dit. La deuxième fois ecrivez ce que vous entendez.

____

____________,

____

____

____

____

____

____

____

____

Leçon 4

PREMIÈRE PARTIE: PRONONCIATION ET DISCRIMINATION AUDITIVE

La voyelle [u]

Pour former le son [u], *arrondissez les lèvres en les ouvrant très peu:* [u].

Répétez le son et les mots que vous allez entendre.

[u] **sou**pe, **bou**che, **rou**te, **pou**le

Maintenant, répétez les phrases suivantes.

Ouvrez la **bou**che.
La **rou**te est **bou**chée.
La **bou**le **rou**le.
La **pou**le **cou**ve.

Les voyelles [ø] et [œ]

Pour former le son [ø], *ouvrez légèrement les lèvres en les relâchant:* [ø].

Répétez le son et les mots que vous allez entendre.

[ø] **peu**, **deux**, **jeu**di, déj**eu**ner

Maintenant, répétez les phrases suivantes.

Monsi**eu**r a des y**eux** bl**eu**s.
Le petit vi**eux** v**eu**t des **oeufs**.
Je p**eux** déj**eu**ner j**eu**di.
D**eux** b**oeufs** valent mi**eux** qu'un.

Pour former le son [œ], *ouvrez un peu plus la bouche en relâchant les lèvres:* [œ].

Répétez le son et les mots que vous allez entendre.

[œ] p**eu**r, v**eu**lent, **oeu**f, j**eu**ne, p**eu**ple

Maintenant, répétez les phrases suivantes.

Sa s**oeu**r a bon c**oeu**r.
Le j**eu**ne profess**eu**r est meill**eu**r.
L'ard**eu**r du p**eu**ple.
Un **oeu**f et un b**oeu**f.

Les consonnes [ɲ] et [gn]

Répétez le son et les mots que vous allez entendre.

[ɲ] pei**gn**ez, bai**gn**ez, monta**gn**e, campa**gn**e

Maintenant, répétez les phrases suivantes.

Il s'éloi**gn**e sur la monta**gn**e.
Le vi**gn**eron soi**gn**e sa vi**gn**e.
Ils pei**gn**ent à la campa**gn**e.

Répétez le son et les mots que vous allez entendre.

[**gn**] **gn**ome, **gn**ou, **gn**ose

Les consonnes [ps] et [pn]

Répétez le son et les mots que vous allez entendre.

[ps] **ps**ychologie, **ps**ychiatre, **ps**ychologue, a**bs**orber, o**bs**ession

Maintenant, répétez les phrases suivantes.

Le **ps**ychiatre o**bs**erve le **ps**ychotique.
Le **ps**eudonyme est a**bs**urde.
Il faut a**bs**olument obtenir ces **ps**aumes.
Cette maladie o**bs**cure semble **ps**ychosomatique.

Nom ______________________________ Classe ______________ Date ______________

Répétez le son et les mots que vous allez entendre.

[pn] **pn**eu, **pn**eumatique, **pn**eumonie

Maintenant, répétez les phrases suivantes.

Elle a attrapé une **pn**eumonie.
J'ai reçu un **pn**eumatique.
Le **pn**eu est crevé.

DEUXIÈME PARTIE: GRAMMAIRE ET SYNTAXE

I. Le féminin des adjectifs et des noms

A. Donnez le féminin des phrases suivantes.

Modèle: Mon compagnon se sent frais et dispos.
Ma compagne se sent fraîche et dispose.

B. Mettez au féminin les adjectifs suivants.

Modèle: un travail épuisant (course)
une course épuisante

C. Donnez le masculin des mots suivants.

Modèle: la poule
le coq

D. Donnez le pluriel des mots suivants.

Modèle: un bel homme
de beaux hommes

E. Mettez les adjectifs à la place qui convient.

Modèle: Mon ami est arrivé. (cher, français)
Mon cher ami français est arrivé.

II. Le comparatif

A. Faites des phrases avec **plus...que.**

Modèle: Bernard est méchant. Gérard est très méchant.
Gérard est plus méchant que Bernard.

B. Faites des phrases avec **moins...que.**

Modèle: Lucien travaille bien. Germaine ne travaille pas trop bien.
Germaine travaille moins bien que Lucien.

C. Faites des phrases avec **aussi...que.**

Modèle: La robe coûte cher. Le corsage coûte cher aussi.
La robe coûte aussi cher que le corsage.

D. Faites des phrases avec **autant que.**

Modèle: Christian boit beaucoup, Félicien aussi.
Christian boit autant que Félicien.

E. Faites des phrases avec **autant de...que.**

Modèle: Michel a des problèmes, sa soeur aussi.
Michel a autant de problèmes que sa soeur.

F. Donnez le comparatif des phrases suivantes.

Modèle: Cet essai est bien écrit.
Cet essai est mieux écrit que l'autre.

G. Donnez le comparatif des phrases suivantes.

Modèle: Cette soupe est bonne.
Cette soupe est bien meilleure que la dernière.

III. Le superlatif absolu

Ajoutez le mot suggéré à la phrase que vous allez entendre.

Modèle: Il est connu. (bien)
Il est bien connu.

IV. Le superlatif relatif

A. Transformez les phrases suivantes en employant les mots suggérés.

Modèle: Nathan est intelligent. (classe)
Nathan est le plus intelligent de la classe.

B. Transformez les phrases suivantes en employant les mots suggérés.

Modèle: Annaïk n'est pas grande. (groupe)
Annaïk est la moins grande du groupe.

Nom ______________________________ **Classe** ______________ **Date** ______________

C. Répondez aux questions suivantes.

Modèle: Est-ce un bon ami?
C'est mon meilleur ami.

D. Répondez aux questions suivantes.

Modèle: Est-ce un mauvais journal?
C'est le pire journal imaginable.

E. Donnez le superlatif des phrases suivantes.

Modèle: C'était un travail dur.
C'était le travail le plus dur.

F. Donnez le superlatif des phrases suivantes.

Modèle: Il écrit bien. (classe)
C'est lui qui écrit le mieux de la classe.

TROISIÈME PARTIE: COMPRÉHENSION ORALE

Écoutez la conversation téléphonique suivante et essayez de comprendre de quoi il s'agit. Il y aura cinq questions à la fin du passage.

Exercice de compréhension orale

Écoutez les questions suivantes et choisissez la réponse correcte.

1. a b c

2. a b c

3. a b c

4. a b c

5. a b c

QUATRIÈME PARTIE: DICTÉE

Le passage suivant sera lu deux fois. La première fois, écoutez seulement et n'écrivez pas. Essayez de comprendre de quoi il s'agit. La deuxième fois, écrivez ce que vous entendez.

Extrait de: Michèle Manceaux, "Les Plus Belles Vacances de votre vie," *Marie-Claire,* juillet, 1983.

Leçon 5

PREMIÈRE PARTIE: PRONONCIATION ET DISCRIMINATION AUDITIVE

Les voyelles nasales [ɛ̃] et [œ̃]

Pour former le son [ɛ̃], écartez bien les lèvres en levant la partie arrière de la langue: [ɛ̃].

Répétez le son et les mots que vous allez entendre.

[ɛ̃] **fin**, **faim**, **bain**, **plein**, **im**possible

Maintenant, répétez les phrases suivantes.

Le **train** est **plein**.
Le **terrain** est mals**ain**.
L'écriv**ain** se **plaint**.
Le **pein**tre a **peint** un **train**.

Pour former le son [œ̃], *relâchez les lèvres en levant à demi la partie arrière de la langue:* [œ̃].

Répétez le son et les mots que vous allez entendre.

[œ̃] **un**, br**un**, l**un**di, f**un**ky

Maintenant, répétez les phrases suivantes.

Un l**un**di, il a porté un manteau br**un**.
Un musicien f**un**ky

Les sons [aʀ], [ɔʀ], [iʀ], et [yʀ]

Pour former le son [aʀ], *écartez bien la bouche comme si vous souriiez. Finissez le son en levant la partie arrière de la langue:* [aʀ].

Répétez le son et les mots que vous allez entendre.

[aʀ] parler, écarter, phare, gare, hardi

Maintenant, répétez les phrases suivantes.

Charles parle à Carlos.
Mario et Marie se marient.
Sois à la gare à quatre heures et quart.

Pour former le son [ɔʀ], *arrondissez les lèvres en ouvrant la bouche à demi, et finissez le son en levant la partie arrière de la langue:* [ɔʀ].

Répétez le son et les mots que vous allez entendre.

[ɔʀ] porte, déborder, sortir, mordre

Maintenant, répétez les phrases suivantes.

Médor te mordra.
Quand tu sors, ferme la porte.
Fais un effort pour dormir.
Le porc est mort.

Pour former le son [iʀ], *écartez bien les lèvres en ouvrant à peine la bouche. Finissez le son en levant la partie arrière de la langue:* [iʀ].

Répétez le son et les mots que vous allez entendre.

[iʀ] ouvrir, sortir, tirer, virer

Maintenant, répétez les phrases suivantes.

Elvire aime lire et écrire.
Le miroir est dans le tiroir.
L'hirondelle se mire dans le lac.
C'est le pire kir qui existe.

Pour former le son [yʀ], *projetez les lèvres fort en avant en les ouvrant très peu. Finissez le son en levant la partie arrière de la langue:* [yʀ].

Répétez le son et les mots que vous allez entendre.

[yʀ] sûr, pur, mur, dur, burent

Nom ______________________________ Classe ______________ Date ______________

Maintenant, répétez les phrases suivantes.

La **cure** sera **dure**.
Sa **fu**reur est a**hu**rissante.
Les **mûres** **mû**rissent.
Une pein**ture** **mu**rale.
Au **fur** et à mes**ure**.

DEUXIÈME PARTIE: GRAMMAIRE ET SYNTAXE

I. Le futur simple

A. Mettez les phrases suivantes au futur simple.

Modèle: Il va acheter une voiture décapotable.
Il achètera une voiture décapotable.

B. Transformez les phrases suivantes pour atténuer la valeur trop absolue de l'impératif.

Modèle: Lisez jusqu'à la page 120.
Vous lirez jusqu'à la page 120.

C. Transformez les phrases suivantes.

Modèle: Il va à Montréal. Il achète des livres.
Lorsqu'il ira à Montréal, il achètera des livres.

D. Faites des phrases hypothétiques en employant le futur.

Modèle: Il achète une voiture. Il m'apprend à conduire.
S'il achète une voiture, il m'apprendra à conduire.

II. Le futur antérieur

Transformez les phrases suivantes en employant le futur antérieur et le futur.

Modèle: Il finit son travail. Il peut sortir.
Quand il aura fini son travail, il pourra sortir.

III. Le conditionnel présent et passé

A. Transformez les phrases suivantes.

Modèle: S'il le fait, je ne serai pas responsable.
S'il le faisait, je ne serais pas responsable.

B. Mettez les phrases suivantes au passé.

Modèle: Je crois qu'il t'avertira.
Je croyais qu'il t'avertirait.

C. Transformez les phrases suivantes.

Modèle: Si j'étais toi, je ne le ferais pas.
Si j'avais été toi, je ne l'aurais pas fait.

TROISIÈME PARTIE: COMPRÉHENSION ORALE

Écoutez le passage suivant en essayant de comprendre de quoi il s'agit. Il y aura cinq questions à la fin du passage.

Exercice de compréhension orale

Écoutez les questions suivantes et choisissez la réponse correcte.

1. a b c
2. a b c
3. a b c
4. a b c
5. a b c

Nom ______________________________ **Classe** ______________ **Date** ______________

QUATRIÈME PARTIE: DICTÉE

Le passage suivant sera lu deux fois. La première fois, écoutez seulement et n'écrivez pas. Essayez de comprendre de quoi il s'agit. La deuxième fois, écrivez ce que vous entendez.

____

____

____

____

____

____

____

____

____

____

Adapté de: Rosane Morin, "Une Association durable," *FORCES: revue de documentation économique, sociale et culturelle,* Numéro 70, 1985, Montréal, Québec.

Leçon 

PREMIÈRE PARTIE: PRONONCIATION ET DISCRIMINATION AUDITIVE

Les voyelles nasales [ɑ̃] et [ɔ̃]

Pour former le son [ɑ̃], *ouvrez bien la bouche en levant la partie arrière de la langue:* [ɑ̃].

Répétez le son et les mots que vous allez entendre.

[ɑ̃] **sans**, Fr**an**ce, **en**trez, v**ent**, ch**an**ter

Maintenant, répétez les phrases suivantes.

Entrez d**ans** la d**an**se.
Il est **en** Fr**an**ce.
J'entends ch**an**ter F**an**chon.
Je t'att**end**s le premier dim**an**che de j**an**vier.

Pour former le son [ɔ̃], *arrondissez les lèvres en levant la partie arrière de la langue:* [ɔ̃].

Répétez le son et les mots que vous allez entendre.

[ɔ̃] **bon**, **son**, **con**te, viol**on**, th**on**, j**un**gle

Maintenant, répétez les phrases suivantes.

Les l**ongs** sanglots des viol**ons**
Son jup**on** est en cot**on**.
Il a rac**on**té un **bon** **con**te.

Les consonnes combinées [bR], [pR], [dR], [vR]

Répétez le son et les mots que vous allez entendre.

[bR] ar**bre**, om**bre**, **br**oche, mar**bre**
[pR] **propre**, ap**pr**endre, **pr**êter, **pr**ier, **pr**aline
[dR] fou**dre**, pou**dre**, An**dré**, a**dr**oit
[vR] lè**vre**, chè**vre**, liè**vre**, **vr**ai

Maintenant, répétez les phrases suivantes.

La chè**vre** **br**oute le **pré**.
An**dr**ée est a**dr**oite.
Prête-moi le poi**vre**.
Mangez avec **propr**eté.

DEUXIÈME PARTIE: GRAMMAIRE ET SYNTAXE

I. Les pronoms objets *y* et *en*

A. Transformez les phrases suivantes en employant le pronom objet *y*.

Modèle: Elle s'intéresse à sa santé.
Elle s'y intéresse.

B. Transformez les phrases suivantes en employant le pronom objet *en*.

Modèle: Je me souviens de ce jour.
Je m'en souviens.

C. Répondez aux questions suivantes.

Modèle: Il ne sait pas le faire?
Il s'y prend mal.

D. Donnez les réponses aux questions suivantes en employant *y* ou *en* selon le cas.

Modèle: A-t-il envie de ce tableau?
Oui, il en a envie.

Penses-tu à tes soucis?
Oui, j'y pense.

Nom ______________________________ Classe ______________ Date ______________

II. Les pronoms toniques

A. Employez le pronom tonique dans les phrases suivantes.

Modèle: Elle se soucie de son fils.
Elle se soucie de lui.

B. Répondez aux questions suivantes en employant les pronoms toniques.

Modèle: Veux-tu venir chez moi?
Je voudrais bien aller chez toi.

III. Les pronoms possessifs

A. Répondez aux questions suivantes.

Modèle: Mon ami est difficile à vivre, et le tien?
Le mien est difficile à vivre aussi.

B. Répondez affirmativement aux questions suivantes.

Modèle: Ce sont les chaussures de Sabine?
Oui, ce sont les siennes.

C. Répondez aux questions suivantes.

Modèle: Je n'ai pas fini mon livre. Et toi?
Je n'ai pas fini le mien non plus.

IV. tout

A. Ajoutez l'adjectif **tout** aux phrases suivantes.

Modèle: Il s'éprend des filles.
Il s'éprend de toutes les filles.

B. Employez l'adjectif **tout** au singulier dans les phrases suivantes.

Modèle: Il a lu le livre
Il a lu tout le livre.

C. Employez l'adjectif **tout** pour marquer une action répétée.

Modèle: Un jour, il vient me voir.
Il vient me voir tous les jours.

D. Employez le pronom **tout** dans les phrases suivantes.

Modèle: Nous sommes de pauvres êtres.
Nous sommes tous de pauvres êtres.

E. Répondez aux questions suivantes.

Modèle: Est-ce que toutes les femmes sont venues?
Oui, elles sont toutes venues.

F. Vous n'êtes pas d'accord avec votre amie. Dites le contraire de ce qu'elle dit.

Modèle: Il n'a rien fait.
Il a tout fait.

G. Employez une locution avec le mot **tout.**

Modèle: Il est complètement ivre.
Il est tout à fait ivre.

TROISIÈME PARTIE: COMPRÉHENSION ORALE

Écoutez le dialogue suivant et essayez de comprendre de quoi on parle. Il y aura trois questions à la fin du dialogue.

Exercice de compréhension orale

Écoutez les questions suivantes et choisissez la réponse correcte.

1. a b c

2. a b c

3. a b c

Nom ______________________________ Classe ______________ Date ______________

QUATRIÈME PARTIE: DICTÉE

Le passage suivant sera lu deux fois. La première fois, écoutez seulement et n'écrivez pas. Essayez de comprendre de quoi il s'agit. La deuxième fois, écrivez ce que vous entendez.

____

____

____

____

____

____

____

____

____

____

Leçon 7

PREMIÈRE PARTIE: PRONONCIATION ET DISCRIMINATION AUDITIVE

Les semi-voyelles [j], [w], [ɥ]

Pour former le son [j], *faites le son* [i] *suivi immédiatement d'un relâchement des lèvres:* [j].

Répétez le son et les mots que vous allez entendre.

[j] **y**eux, h**i**er, pa**ill**e, p**i**ed, trava**il**

Maintenant, répétez les phrases suivantes.

Le sole**il** br**ill**e.
L'écureu**il** saut**ill**e au sole**il**.
Je me réve**ill**e.
La f**ill**e aime le **y**aourt.
La v**i**e**ill**e trava**ill**e.

Pour former le son [w], *faites le son* [u], *suivi immédiatement, d'un relâchement des lèvres:* [w].

Répétez le son et les mots que vous allez entendre.

[w] **ou**i, n**ou**er, t**o**i, tr**o**is, f**ou**et, j**ou**ir

Maintenant, répétez les phrases suivantes.

François reç**oi**t tr**oi**s f**oi**s par semaine.
Franç**oi**se me déç**oi**t.
Il j**ou**ait avec un f**ou**et.
Je crois que **oui**.
La joie de boire

Pour former le son [ɥ], *faites le son* [y], *suivi immédiatement du son* [i]: [ɥ].

Répétez le son et les mots que vous allez entendre.

[ɥ] **lui**, **hui**t, **hui**le, br**ui**t, fr**ui**t

Maintenant, répétez les phrases suivantes.

La bougie l**ui**t la n**ui**t.
Le soleil s**ui**t la pl**ui**e.
P**ui**s-je faire c**ui**re les fr**ui**ts?
H**ui**t tr**ui**tes sont c**ui**tes.

Les sons [ur] et [war]

Répétez le son et les mots que vous allez entendre.

[ur] **four**, **pour**, b**our**geois, c**our**se, c**our**ir

Maintenant, répétez les phrases suivantes.

Bonj**our**, Monsieur Duf**our**.
La f**our**mi c**our**t.
Il faut racc**our**cir l'**our**let.
L'**our**s va m**our**ir.
M**our**ir d'am**our**.

Répétez le son et les mots que vous allez entendre.

[war] b**oire**, p**oire**, dev**oir**, s**oir**, mouch**oir**

Maintenant, répétez les phrases suivantes.

Fais v**oir** l'arm**oire**.
Mademoiselle P**oir**et veut v**oir** ton dev**oir**.
Le mir**oir** est dans le tir**oir**.
On va b**oire** à la f**oire** ce s**oir**.

Nom ________________________ Classe ____________ Date ____________

Le sons [wɛ̃] et [jɛ̃]

Pour former le son [wɛ̃], *faites le son* [u], *suivi immédiatement du nasal* [ɛ̃] *que vous avez appris dans la cinquième leçon:* [wɛ̃].

Répétez le son et les mots que vous allez entendre.

[wɛ̃] l**oin**, c**oin**, s**oin**, tém**oin**, m**oin**s

Maintenant, répétez les phrases suivantes.

Monsieur Baud**oin** est directeur-adj**oint**.
Je te rej**oin**drai au p**oint** du jour.
Il p**oin**te les m**oin**s ponctuels.

Pour former le son [jɛ̃], *faites le son* [i], *suivi immédiatement du nasal* [ɛ̃]: [jɛ̃].

Répétez le son et les mots que vous allez entendre.

[jɛ̃] l**ien**, b**ien**, le s**ien**, v**ien**s, ch**ien**

Maintenant, répétez les phrases suivantes.

Jul**ien** maint**ient** ses l**ien**s.
Le gard**ien** ret**ient** son ch**ien**.
Luc**ien** ne regrette r**ien**.
Le magic**ien** v**ient**.
Je me souv**ien**s.

DEUXIÈME PARTIE: GRAMMAIRE ET SYNTAXE

I. Le passé simple ou défini

A. Donnez l'infinitif des verbes suivants.

Modèle: Il se mit en colère.
se mettre

B. Mettez les phrases suivantes au passé composé.

Modèle: Il eut tort.
Il a eu tort.

II. Verbes pronominaux

A. Répondez aux questions suivantes.

Modèle: Est-ce que tu te mets à travailler?
Oui, je me mets à travailler.

B. Répondez négativement aux questions suivantes.

Modèle: Est-ce qu'ils s'entendent bien?
Non, ils ne s'entendent pas bien.

C. Mettez les phrases suivantes au passé composé.

Modèle: Il s'y intéresse.
Il s'y est intéressé.

D. Répondez affirmativement, ensuite négativement aux questions suivantes.

Modèle: Est-ce que tu t'es mise en colère?
Oui, je me suis mise en colère.
Non, je ne me suis pas mise en colère.

E. Vous êtes un parent. Donnez des ordres à votre enfant.

Modèle: Je dois me lever?
Oui, lève-toi!

F. Donnez des ordres négatifs à un groupe d'enfants.

Modèle: Nous pouvons nous amuser?
Non, ne vous amusez pas maintenant!

G. Proposez des activités à un copain ou à une copine.

Modèle: Si nous nous amusions?
Oui, amusons-nous!

H. Un ami vous raconte son week-end. Formulez les questions qui correspondent à ses remarques.

Modèle: Nous nous sommes promenés à Montréal. (à Québec)
Mais, vous êtes-vous promenés à Québec?

Nom ______________________________ Classe ______________ Date ______________

III. L'infinitif passé

A. Transformez les phrases suivantes.

Modèle: J'ai rincé les verres, puis j'ai mis le couvert.
Après avoir rincé les verres, j'ai mis le couvert.

B. Transformez les phrases suivantes.

Modèle: Je me suis levé et je suis sorti.
Après m'être levée, je suis sortie.

C. Transformez les phrases suivantes en employant l'infinitif passé.

Modèle: Je suis content. J'ai trouvé la clef.
Je suis content d'avoir trouvé la clef.

TROISIÈME PARTIE: COMPRÉHENSION ORALE

Écoutez la conversation suivante entre Sophie et Laure. Essayez de comprendre ce qu'elles discutent. Il y aura six questions à la fin de leur conversation.

Exercice de compréhension orale

Écoutez les questions suivantes et choisissez la réponse correcte.

1. a b c
2. a b c
3. a b c
4. a b c
5. a b c
6. a b c

QUATRIÈME PARTIE: DICTÉE

Le passage suivant sera lu deux fois. La première fois, écoutez seulement et n'écrivez pas. Essayez de comprendre de quoi il s'agit. La deuxième fois, écrivez ce que vous entendez.

____

____

____

____

____

____

____

____

____

____

Extrait de: Michel Bosquet, "Tais-toi et mange!" *Le Nouvel Observateur*, décembre 1981.

Leçon 

PREMIÈRE PARTIE: PRONONCIATION ET DISCRIMINATION AUDITIVE

Les consonnes combinées [fR], [tR], [kR] et [gR]

Répétez le son et les mots que vous allez entendre.

[fR] **fr**ire, **fr**uit, **fr**anc, **fr**aîche, **fr**ousse, **fr**émir

Maintenant, répétez les phrases suivantes.

Frédérique **fr**émit **fr**équemment.
Il **fr**once le **fr**ont.
L'af**fr**eux **fr**elon ef**fr**aie mon **fr**ère.
Il souf**fr**e du **fr**oid.

Répétez le son et les mots que vous allez entendre.

[tR] **tr**ain, **tr**aîner, **tr**ou, **tr**i, **tr**ois

Maintenant, répétez les phrases suivantes.

Vo**tr**e **tr**anche est **tr**ès épaisse.
Pa**tr**ice est **tr**op **tr**iste.
Il **tr**ouve des **tr**ucs é**tr**anges.
Le **tr**ain **tr**ansporte des **tr**icots.

Répétez le son et les mots que vous allez entendre.

[kR] **cr**uche, **cr**ème, **cr**i, **cr**acher, é**cr**an, su**cr**e

Maintenant, répétez les phrases suivantes.

Christiane **cr**itique le **cr**oupier.
Les **cr**ocodiles sont **cr**uels.
Christine a **cr**oisé un **cr**iminel.
Dé**cr**ivez la **cr**ise.

Répétez le son et les mots que vous allez entendre.

[gR] **gr**and, **gr**is, **gr**os, ai**gr**e, a**ggr**avé

Maintenant, répétez les phrases suivantes.

L'o**gr**e est **gr**os et **gr**as.
Madame **Gr**ignon a du cha**gr**in.
La **gr**enouille **gr**impe sur la **gr**ille.
La **gr**enadine est a**gr**éable.

Les consonnes combinées [bl], [pl], [fl], [kl] et [gl]

Répétez le son et les mots que vous allez entendre.

[bl] **bl**eu, é**bl**oui, ta**bl**e, ou**bl**ier

Maintenant, répétez les phrases suivantes.

Le drapeau québécois est **bl**eu et **bl**anc.
Les meu**bl**es sont agréa**bl**es.
Le **bl**é est **bl**ond.
Les **bl**ouses sont à la **bl**anchisserie.

Répétez le son et les mots que vous allez entendre.

[pl] **pl**ace, **pl**uie, **pl**ier, ap**pl**iquer

Maintenant, répétez les phrases suivantes.

Il a **pl**anté **pl**usieurs **pl**atanes.
Ce **pl**at me **pl**aît.
Il ne **pl**eut **pl**us.
Il n'y a pas de **pl**antes sur la **pl**anète **Pl**uton.

Répétez le son et les mots que vous allez entendre.

[fl] **fl**ûte, trè**fl**e, **fl**eur, **fl**atter, **fl**ic

Maintenant, répétez les phrases suivantes.

Des **fl**eurs **fl**ottent sur les **fl**ots.
Flora aime **fl**irter.
Un **fl**amant **fl**âne près du **fl**euve.
Les **fl**eurs sont **fl**étries.

Répétez le son et les mots que vous allez entendre.

[kl] bou**cl**e, **cl**ef, s'a**ccl**imater, **cl**oué

Maintenant, répétez les phrases suivantes.

Claire **cl**aque le **cl**ebs.
Cléo dé**cl**ame des **cl**ichés.
Mon on**cl**e é**cl**aire ses **cl**ients.
L'é**cl**ipse annonce un cy**cl**one.

Répétez le son et les mots que vous allez entendre.

[gl] **gl**ace, on**gl**e, **gl**aïeul, **gl**isser, **gl**obe

Maintenant, répétez les phrases suivantes.

La poule **gl**ousse.
Le **gl**as de l'é**gl**ise sonne.
La **gl**ycine et l'é**gl**antine grimpent.

DEUXIÈME PARTIE: GRAMMAIRE ET SYNTAXE

I. Le subjonctif présent

A. Répondez aux questions suivantes en employant le subjonctif.

Modèle: Tout le monde vient veiller?
Il faut que tout le monde vienne veiller.

B. Vous êtes à la veillée du père Verrouche. Formez un regret à propos des remarques suivantes.

Modèle: Le père ne peut pas nous voir.
Il est dommage que le père ne puisse pas nous voir.

C. Formez des phrases avec les éléments donnés.

Modèle: Il n'y a plus de saucisses. Je le regrette.
Je regrette qu'il n'y ait plus de saucisses.

D. Exprimez les situations suivantes au moyen d'une phrase.

Modèle #1:

Pilonne est trop goinfre. Je le sais.
Je sais qu'il est trop goinfre.

Modèle #2:

Pilonne est si goinfre. J'en suis désolé.
Je suis désolée qu'il soit si goinfre.

E. Vous allez entendre plusieurs phrases. Écoutez bien et complétez chaque phrase en écrivant la forme convenable du verbe **boire: boive, boira, boirait.**

Modèle: Pilonne exige que Mathildé boive avec lui.

Pilonne veut que Mathildé __________________ avec lui.

Il souhaite qu'elle __________________ avec lui.

Il désire qu'elle__________________ avec lui.

Il pensait qu'elle __________________ avec lui.

Il ordonne qu'elle __________________ avec lui.

Il espère qu'elle __________________ avec lui.

Il ne croit pas qu'elle __________________ avec lui.

Il doute qu'elle __________________ avec lui.

Il est certain qu'elle __________________ avec lui.

Il croyait qu'elle __________________ avec lui.

Il insiste pour qu'elle __________________ avec lui.

Il espérait qu'elle __________________ avec lui.

Il ne sait pas si elle __________________ avec lui.

Il ne savait pas si elle __________________ avec lui.

Il imagine qu'elle __________________ avec lui.

Il est content qu'elle __________________ avec lui.

Pilonne ne croit pas qu'elle __________________ avec lui.

Il ne pensait pas qu'elle __________________ avec lui.

Nom ______________________________ **Classe** ______________ **Date** ______________

F. Vous allez entendre plusieurs phrases. Écoutez bien et complétez chaque phrase en écrivant la forme convenable du verbe **être: soit, sera, serait.**

Modèle: Pilonne s'étonne que Mathildé ne soit pas disponible.

Il est triste qu'elle __________________ disponible.

Il regrette qu'elle __________________ disponible.

Il croit qu'elle __________________ disponible.

Il croyait qu'elle __________________ disponible.

Il pense qu'elle __________________ disponible.

Il pensait qu'elle __________________ disponible.

Il est désolé qu'elle __________________ disponible.

Il est fâché qu'elle __________________ disponible.

Il comprend qu'elle __________________ disponible.

Il est sûr qu'elle __________________ disponible.

Il était certain qu'elle __________________ disponible.

Il craint qu'elle __________________ disponible.

Il a peur qu'elle __________________ disponible.

Il a la certitude qu'elle __________________ disponible.

II. Le subjonctif passé

A. Transformez les phrases suivantes. Utilisez la forme convenable du verbe **mourir: soit mort, est mort.**

Modèle: Le père Verrouche est mort. J'en suis sûre.
Je suis sûre qu'il est mort.

B. Vous allez entendre plusieurs phrases. Écoutez bien et complétez chaque phrase en écrivant la forme convenable du verbe **manger: avons mangé, ayons mangé.**

Modèle: Elle est contente que nous ayons mangé.

Elle est heureuse que nous ____________________.

Elle est sûre que nous ____________________.

Elle a peur que nous ____________________.

Elle dit que nous ____________________.

Elle s'indigne que nous ____________________.

Elle croit que nous ____________________.

Elle ne pense pas que nous ____________________.

Elle espère que nous ____________________.

Elle voudrait que nous____________________.

Elle aurait voulu que nous ____________________.

TROISIÈME PARTIE: COMPRÉHENSION ORALE

Écoutez le dialogue suivant et essayez de comprendre de quoi il s'agit. Il y aura quatre questions à la fin du passage.

Exercice de compréhension orale

Écoutez les questions suivantes et choisissez la réponse correcte.

1. a b c
2. a b c
3. a b c
4. a b c

Nom ______________________________ Classe ______________ Date ______________

QUATRIÈME PARTIE: DICTÉE

Le passage suivant sera lu deux fois. La première fois, écoutez seulement et n'écrivez pas. Essayez de comprendre de quoi il s'agit. La deuxième fois, écrivez ce que vous entendez.

____

____

____

____

____

____

____

____

____

____

Extrait de: Raymond Lichet, "Les Français à table," Textes en français, facile, *Civilisation*, Hachette, Éditeur, 1976.

Leçon 

PREMIÈRE PARTIE: PRONONCIATION ET DISCRIMINATION AUDITIVE

Les consonnes combinées [sp], [st], [stR]

Répétez le son et les mots que vous allez entendre.

[sp] **sp**ort, **sp**ectacle, **sp**lendide, **sp**asme, a**sp**ect

Maintenant, répétez les phrases suivantes.

Une **sp**irale **sp**ectaculaire
Un **sp**ectateur **sp**écial
Une **sp**lendeur **sp**irituelle
Un esprit **sp**ontané

Répétez le son et les mots que vous allez entendre.

[st] **st**able, **st**ar, **st**andard, **st**éréo, **st**ylo

Maintenant, répétez les phrases suivantes.

E**st**elle a mal à l'e**st**omac.
Il a fait de l'auto-**st**op à la **st**ation.
Stella est **st**upéfaite.

Répétez le son et les mots que vous allez entendre.

[stR] **str**ess, **str**atégie, **str**ict, **str**ident

Maintenant, répétez les phrases suivantes.

La **str**ucture de la **str**ophe est **str**icte.
L'a**str**onomie est l'étude des a**str**es.
Le prix d'un **str**adivarius est a**str**onomique.

Les consonnes combinées [sk] et [skʀ]

Répétez le son et les mots que vous allez entendre.

[sk] **sk**i, **sc**andale, **squ**elette, **sc**olaire, ob**sc**ur

Maintenant, répétez les phrases suivantes.

Le **sc**out a découvert un **sc**orpion.
Un **sc**ulpteur **sc**andinave
Des **sc**ampi et du **sc**otch
Un télé**sc**ope et un micro**sc**ope

Répétez le son et les mots que vous allez entendre.

[skʀ] **scr**abble, **scr**ibe, **scr**ipt, e**scr**oc

Maintenant, répétez les phrases suivantes.

L'e**scr**oc est sans **scr**upules.
Le **scr**ibe prend son ca**sse-cr**oûte.
Il s'in**scr**it pour faire de l'e**scr**ime.

Les sons [sjɔ̃] et [si]

Répétez le son et les mots que vous allez entendre.

[sjɔ̃] ac**tion**, fic**tion**, édi**tion**, multiplica**tion**, compréhen**sion**

Remarquez que tous les mots qui se terminent en [sjɔ̃] *sont féminins.*

Répétez le son et les mots que vous allez entendre.

[si] démocra**tie**, autocra**tie**, ploutocra**tie**, aristocra**tie**

MAIS: hypocri**sie**, fantai**sie**, frén**ésie**, pleur**ésie**

Un **s** entre deux voyelles se prononce toujours comme un **z.**

Nom ______________________ Classe ______________ Date ______________

DEUXIÈME PARTIE: GRAMMAIRE ET SYNTAXE

I. Conjonctions qui gouvernent le subjonctif

A. Vous allez entendre plusieurs phrases. Écoutez bien et complétez chaque phrase en écrivant la forme convenable du verbe. Remarquez bien les conjonctions qui exigent le subjonctif.

Subjonctif	Indicatif
1. Daninos ne veut écrire qu'une phrase **bien que** son éditeur ____________ fâché.	2. On l'a bien traité **pendant** qu'il ____________ là.
3. Couvre-toi **à moins que** tu ne ____________ ____________ attraper une angine.	4. Une Française sourit **quand** on lui ____________ qu'elle est belle.
5. Couvrez-vous **pour que** vous n'____________ pas froid.	6. Tout le monde était au match **lorsque** Cyrus ____________.
7. C'est un enfant, **quoi qu'**il ____________.	8. Il s'intéresse à la France **tandis qu'**elle ____________ au Québec.
9. Adulte, cet enfant sera frustré **sans que** sa mère ____________ pourquoi.	10. On se demande **si** c'____________ sage de garantir le bonheur.

11. Il travaille **afin que** vous ___________ faire vos études.

12. Il commencera sa rédaction **dès qu'**il ___________ de retour.

13. Lis le guide **de sorte que** tu ___________ bien Paris.

14. On servira le vin **aussitôt qu'**il ___________ assis.

15. Je l'ai vu **avant qu'**il ne ___________ ___________ en voyage.

16. On l'a vu **après qu'**il ___________ ___________.

17. Reste en France **jusqu'à ce que** tu ___________ bien le français.

18. Tu as bu trois gins **depuis que** tu ___________ là.

19. Elle a raccourci son voyage **de peur que** son fils___________ le mal du pays.

B. Transformez les phrases suivantes.

Modèle: Il sera rassuré si tu le lui dis.
Il sera rassuré pourvu que tu le lui dises.

C. Choisissez le subjonctif ou l'indicatif selon le cas.

Modèle #1:
Je l'ai vu, puis il a écrit l'article.
Je l'ai vu avant qu'il n'écrive l'article.

Modèle #2:
Il a écrit l'article. Je l'ai vu après.
Je l'ai vu après qu'il a écrit l'article.

Nom ______________________________ Classe ______________ Date ______________

D. Transformez les phrases suivantes.

Modèle: Il s'est dépêché, mais il a raté le train.
Bien qu'il se soit dépêché, il a raté le train.

E. Vous allez entendre plusieurs phrases. Écoutez bien et complétez chaque phrase en écrivant la forme convenable du verbe **faire: fasse, faisait, fera.**

Modèle: Je vais partir après qu'il **fera** nuit.

Je vais partir avant qu'il ne __________________ nuit.

Il lit jusqu'à ce qu'il __________________ nuit.

Il vous appellera aussitôt qu'il __________________ nuit.

Il est rentré de crainte qu'il ne __________________ nuit.

Il est rentré de peur qu'il ne __________________ nuit.

J'arriverai dès qu'il __________________ nuit.

Allons au cinéma bien qu'il __________________ jour.

Je me demande s'il __________________ beau.

Restons à l'intérieur quoiqu'il __________________ beau.

Nous sommes allés à la plage pendant qu'il __________________ beau.

Elle se baignait depuis qu'il __________________ beau.

Je serai content lorsqu'il __________________ beau.

Il a ouvert le climatiseur afin qu'il __________________ frais.

Je l'aimerai quoiqu'il __________________.

Je l'encourage de sorte qu'il __________________ des progrès.

Elle faisait du yoga tandis que son ami __________________ de l'escrime.

Elle lisait le guide pendant qu'il __________________ la cuisine.

Il peut rester à moins qu'il ne __________________ une scène.

Je partirai à condition qu'il __________________ beau.

F. Combinez ces deux phrases en une.

Modèle: Il est parti pour la France. Il ne me l'a pas dit.
Il est parti pour la France sans me le dire.

G. Employez l'expression **de peur de** ou **de crainte de** dans les phrases suivantes.

Modèle: Il a pris un comprimé. Il avait peur d'être malade.
Il a pris un comprimé de peur d'être malade.

H. Transformez les phrases suivantes.

Modèle: Il n'accepterait pas à moins qu'il ne reçoive une augmentation.
Il n'accepterait pas à moins de recevoir une augmentation.

I. Combinez les deux phrases en une.

Modèle: Nous le faisons. Nous voulons réussir.
Nous le faisons afin de réussir.

II. Le subjonctif dans les propositions indépendantes, et avec le superlatif

A. Votre ami est doux. Vous êtes impérieux. Formez des commandes.

Modèle: J'espère qu'il partira.
Qu'il parte!

B. Transformez les phrases suivantes.

Modèle #1:
Il ne peut pas visiter d'autres pays.
C'est le seul pays qu'il puisse visiter.

Modèle #2:
Il n'a pas pu visiter d'autres pays.
C'est le seul pays qu'il ait pu visiter.

C. Transformez les phrases suivantes.

Modèle #1:
On ne peut pas imaginer de voyage plus gai.
C'est le voyage le plus gai qu'on puisse imaginer.

Modèle #2:
Il n'a jamais fait de meilleur voyage.
C'est le meilleur voyage qu'il ait jamais fait.

Nom ______________________ Classe ____________ Date ____________

III. Le subjonctif hypothétique

A. Transformez les phrases suivantes.

Modèle: Il a trouvé un quotidien qui lui plaît.
Il cherche un quotidien qui lui plaise.

B. Vous êtes éperdument amoureux d'une personne. Faites des déclarations d'amour.

Modèle: Tu peux avoir n'importe quel travail, je t'aimerai.
Quel que soit ton travail, je t'aimerai.

TROISIÈME PARTIE: COMPRÉHENSION ORALE

Écoutez la conversation suivante ensuite entre François, Alain et Simone. Essayez de comprendre les idées générales. Il y aura quatre questions à la fin de leur conversation.

Exercice de compréhension orale

Écoutez les questions suivantes et choisissez la réponse correcte.

1. a b c
2. a b c
3. a b c
4. a b c

QUATRIÈME PARTIE: DICTÉE

Le passage suivant sera lu deux fois. La première fois, écoutez seulement et n'écrivez pas. Essayez de comprendre de quoi il s'agit. La deuxième fois, écrivez ce que vous entendez.

____

____

____

____

____

Extrait de: Théodore Zeldin,
Les Français, Librairie Arthème
Fayard, 1983.

Leçon 10

PREMIÈRE PARTIE: PRONONCIATION ET DISCRIMINATION AUDITIVE

Les sons [if], [uf], [œf] et [waf]

Répétez le son et les mots que vous allez entendre.

[if] **vif**, mo**tif**, ré**tif**, ca**nif**, ac**tif**

Maintenant, répétez les phrases suivantes.

Les **ifs** sont cap**tifs** du vent **vif**.
Le frêle esqu**if** s'échoue sur le ré**cif**.

Répétez le son et les mots que vous allez entendre.

[uf] **pouf**, **touffe**, **bouffe**, **plouf**, **rouf**

Maintenant, répétez les phrases suivantes.

La **bouffe** m'é**touffe**.
La m**ouffe**tte fait pl**ouf** dans l'eau.

Répétez le son et les mots que vous allez entendre.

[œf] **oeuf**, **boeuf**, **veuf**, **neuf**

Maintenant, répétez les phrases suivantes.

Le v**euf** regarde par l'oeil de b**oeuf**.
L'auto fait **teuf-teuf**.

Répétez le son et les mots que vous allez entendre.

[waf] **soif, coiffe**

Maintenant, répétez les phrases suivantes.

Le vent me déc**oiffe**.
Le c**oiff**eur me rec**oiffe**.
On a s**oif**.

Les sons [ɔl] et [yl]

Répétez le son et les mots que vous allez entendre.

[ɔl] **bol, fol, col, vol, mol, sol**

Maintenant, répétez les phrases suivantes.

Tu es f**olle** de v**ol**er le b**ol**.
On mène une vie m**olle** à H**ull**.

Répétez le son et les mots que vous allez entendre.

[yl] n**ul**, b**ulle**, c**ul**bute, ins**ul**te, calc**ul**, tum**ul**te

Maintenant, répétez les phrases suivantes.

Ton p**ull** est **ul**tra-chic.
C'est l'**ul**time ins**ul**te!

Les sons [øl] et [wal]

Répétez le son et les mots que vous allez entendre.

[øl] **seul, gueule, meule, veule**

Maintenant, répétez les phrases suivantes.

Elle est s**eule** dans son linc**eul**.
Le chat f**eule**, le maître l'eng**ueule**.

Répétez le son et les mots que vous allez entendre.

[wal] **poil, toile, moelle, voile, étoile**

Maintenant, répétez les phrases suivantes.

On dév**oile** les **toiles**.
À Montréal, on parle **joual**.

Notez le son [ɔp] *dans les mots suivants.*

obstacle, **ob**tenir, **ob**stétricien, **ob**stiné, **ob**tus

Répétez les mots suivants et notez bien la prononciation.

second, se**c**ondaire, se**c**onde, se**c**ondement, se**c**onder

Le **c** se prononce comme un **g.**

Maintenant, répétez les groupes de mots suivants en notant bien la prononciation.

un gran**d** homme, un gran**d** hôtel, un gran**d** hôpital

Notez que le **d** se prononce comme un **t** quand il y a une liaison.

DEUXIÈME PARTIE: GRAMMAIRE ET SYNTAXE

I. Pronoms relatifs

A. Vous revisitez avec un ami les lieux où vous avez eu une expérience effrayante. Vous lui racontez ce qui s'est passé.

Modèle: Je portais cet habit.
C'est l'habit **que** je portais.

Complétez par écrit les phrases sur votre page.

1. C'est la route ____________ j'ai prise.
2. C'est la maison ____________ ____________ j'ai passé.
3. C'est l'homme ____________ ____________ j'ai parlé.
4. C'est la rivière ____________ ____________ il m'a poussée.
5. C'est la berge ____________ ____________ j'ai grimpé.
6. C'est l'arbre ____________ ____________ ____________ je me suis affaissée.

7. C'est le précipice ____________ ____________ ____________ je me suis trouvée.

8. C'est la femme ____________ est arrivée en courant.

9. C'est son mari ____________ m'avait poussée dans la rivière.

10. C'est le fusil ____________ ____________ il avait voulu me tuer.

B. Vous êtes stagiaire à l'Assemblée nationale à Québec et vous invitez une amie à vous accompagner à la période des questions. Vous identifiez les ministres à votre amie. Complétez par écrit les phrases sur votre page.

Modèle: Je t'ai parlé de ce ministre.
C'est le ministre dont je t'ai parlé.

1. C'est le député ____________ je t'ai parlé ce matin.
2. C'est le ministre ____________ ____________ j'ai dîné hier soir.
3. C'est le ministre ____________ vient de l'île Maurice.
4. C'est le député ____________ tu as oublié le nom.
5. C'est le ministre ____________ ____________ j'ai parlé hier.
6. Ce sont les bureaux ____________ les ministres se servent.
7. Ce sont les rapports des commissions ____________ je m'occupe.
8. C'est le ministre ____________ le fils est stagiaire aussi.
9. Ce sont des conseils ____________ j'ai besoin.

C. Vous admirez une jeune personne. Exprimez votre avis.

Modèle: Il s'habille d'une façon que j'aime.
J'aime la façon dont il s'habille.

D. Employez **ce dont** ou **ce à quoi** dans les phrases suivantes.

Modèle #1:
Nous avons besoin de poésie.
La poésie, c'est ce dont nous avons besoin.

Nom ______________________________ Classe ______________ Date ______________

Modèle #2:
Nous pensons à un conte.
C'est ce à quoi nous pensons.

E. Exprimez votre incompréhension.

Modèle: J'ai dit quelque chose.
Je ne comprends pas ce que vous avez dit.

F. Vous êtes un détective privé chargé de faire une enquête.
Complétez par écrit les questions que vous posez au témoin.

Modèle: On a trouvé le corps au bord de ce lac.
Est-ce le lac au bord duquel on a trouvé le corps?

1. Est-ce le fleuve ____ ________ ____________ on a trouvé le corps?
2. Est-ce la maison ____ ________ ____ ____________ on a trouvé le fusil?
3. Est-ce le jardin ____ ____________ ____________ on a trouvé le manteau?
4. Est-ce la dame ________ ________ ____ ____ la victime avait dîné?
5. Est-ce la fontaine ____________ ____ ____________ on a trouvé des papiers privés?
6. Est-ce le couloir ____ ________ ____________ on a trouvé une paire de gants?
7. Est-ce l'escalier ____ ________ ____________ on a trouvé un couteau?
8. Est-ce la maison ____________ ____________ on a trouvé un fouet?
9. Est-ce la maison ____________ ____________ on a trouvé des empreintes de pied?
10. Est-ce l'arbre ____ ________ ____________ on a trouvé une vieille folle?

G. Vous avez terminé votre enquête. Présentez vos résultats au chef de police.

Modèle: Elle a trouvé la victime dans le fleuve.
C'est le fleuve où elle a trouvé la victime.

II. Les pronoms démonstratifs

A. Vous n'êtes jamais satisfait de ce qu'on vous offre, et vous n'hésitez pas à le dire!

Modèle: Prends ma voiture.
Celle de ton frère est meilleure.

B. Transformez les phrases suivantes.

Modèle #1:
Le livre qu'il a acheté m'intéresse.
Celui qu'il a acheté m'intéresse.

Modèle #2:
Il m'a parlé de son livre.
Celui dont il m'a parlé m'intéresse.

C. Exprimez les préférences d'une amie.

Modèle: Entre les chiens et les chats, je préfère ceux-ci.
Elle préfère les chats.

III. Pronoms et adjectifs indéfinis

A. Donnez le contraire des phrases suivantes.

Modèle: Rien n'est arrivé.
Quelque chose est arrivé.

B. Donnez le pluriel des phrases suivantes en substituant le pronom **en** pour le complément direct.

Modèle: J'ai lu un de ses contes.
J'en ai lu quelques-uns.

C. Transformez les phrases suivantes en substituant le pronom indéfini pour l'adjectif indéfini.

Modèle: Chaque homme est unique.
Chacun est unique.

Nom ______________________________ Classe ______________ Date ______________

TROISIÈME PARTIE: COMPRÉHENSION ORALE

Écoutez la conversation suivante et essayez de comprendre de quoi parlent Alain et Didier. Il y aura cinq questions à la fin de leur conversation.

Exercice de compréhension orale

Écoutez les questions suivantes et choisissez la réponse correcte.

1. a b c

2. a b c

3. a b c

4. a b c

5. a b c

QUATRIÈME PARTIE: DICTÉE

Le passage suivant sera lu deux fois. La première fois, écoutez seulement et n'écrivez pas. Essayez de comprendre de quoi il s'agit. La deuxième fois, écrivez ce que vous entendez.

____

____

____

____

____

____

____

____

____

Extrait de: Roland Barthes, *Fragments d'un discours amoureux,* Éditions du Seuil, 1977.

Leçon 11

PREMIÈRE PARTIE

I. Prononciation et discrimination auditive

Les sons [waj] et [ej]

Pour former le son [waj], *faites le son* [u], *ouvrez la bouche, faites le son* [a], *et finissez par le son* [i]: [waj].

Répétez le son et les mots que vous allez entendre.

[waj] n**oy**er, s**oy**ez, l**oy**al, foudr**oy**er, n**oy**au, j**oy**au

Maintenant, répétez les phrases suivantes.

Il a nett**oy**é son f**oy**er.
S**oy**ez l**oy**al.
Le v**oy**ageur m**oy**en aime env**oy**er des cartes postales.
Empl**oy**ez un m**oy**en efficace.

Pour former le son [ej], *commencez par le son* [e], *et finissez par le son* [i]: [ej].

Répétez le son et les mots que vous allez entendre.

[ej] p**ay**er, r**ay**on, **ay**ez, cr**ay**on, ég**ay**é, v**eill**ée

Maintenant, répétez les phrases suivantes.

Il est effr**ay**é que vous **ay**ons perdu.
R**ay**ez avec le cr**ay**on.
Ce p**ay**sage est attr**ay**ant.

Les voyelles combinées [ɔi] et [ai]

Répétez le son et les mots que vous allez entendre.

[ɔi] héroïque, égoïste, égoïsme, héroïsme

Répétez le son et les mots que vous allez entendre.

[ai] haïr, caïman, naïveté, naïf, laïque, maïs

II. Le rythme du français

Ce qui caractérise le rythme du français, c'est sa régularité. En prononçant les phrases suivantes, veillez à donner une valeur égale à chaque syllabe, comme si vous battiez la mesure avec votre main en comptant: 1-2-3-4-5. Répétez les phrases suivantes aussi exactement que possible.

Un repas délicieux.
Qu'est-ce que vous avez?
Revenons demain.
Je ne dis pas ça.
J'ai dû le noter.
Vous exagérez.
Il ne viendra pas.
Je me sentais seul.
Ne le raconte pas!

Tu ne savais pas.
Je ne comprends pas.
Réfléchis un peu.
Je vais t'expliquer.
C'est toi qui le dis.
Je n'ai pas de chance.
Tu n'étais pas là.
Rien de bien précis.
Qu'a-t-il répondu?

III. L'accent final

Chaque groupe rythmique possède un accent final. On augmente légèrement la durée de la dernière syllabe du dernier mot de chaque groupe rythmique. Répétez les phrases suivantes en allongeant légèrement la dernière syllabe du dernier mot de chaque groupe rythmique. Essayez de reproduire aussi exactement que possible le rythme de chaque phrase.

Mon camarade
qui est venu me voir
partira en août
pour la Nouvelle-Orléans.

Paris,
capitale de la France,
est situé au coeur
du Bassin parisien.

Allons déjeuner
à la Crêpe Bretonne.

Nom ______________________ Classe ____________ Date ____________

DEUXIÈME PARTIE: GRAMMAIRE ET SYNTAXE

I. L'interrogation

A. Transformez par écrit les questions que vous allez entendre.

Modèle: Nous sommes samedi?
Est-ce que nous sommes samedi?

______________________ il vient?

______________________ tu es sûr?

______________________ elle va venir?

Continuez oralement.

B. Posez une question à propos de Godot.

Modèle: Vous attendez quelqu'un?
Qui attendez-vous?

C. Continuez à poser des questions sur Godot.

Modèle: Godot va venir.
Qui va venir?

D. Transformez les questions suivantes en employant **qui est-ce que** avec une préposition.

Modèle: Faut-il parler à Godot?
À qui est-ce qu'il faut parler?

E. Posez des questions à un ami à propos de ses projets.

Modèle #1:
Je vais faire quelque chose ce week-end.
Qu'est-ce que tu vas faire ce week-end?

Modèle #2:
Je vais voir quelqu'un ce week-end.
Qui est-ce que tu vas voir ce week-end?

F. Complétez par écrit les phrases que vous allez entendre.

______ __________ a-t-il besoin? ______ __________ pense-t-elle?

______ __________ écris-tu? ______ __________ dort-il?

Maintenant, formez des questions qui correspondent aux phrases suivantes.

G. Formez la question qui correspond à chacune des phrases suivantes.

Modèle: Vladimir fait quelque chose.
Que fait Vladimir?

II. Les pronoms interrogatifs composés

Formez la question qui correspond à chacune des phrases suivantes.

Modèle: L'écrivain a choisi une de ces intrigues.
Laquelle a-t-il choisie?

III. Les adverbes dans les phrases interrogatives

A. Complétez par écrit les questions que vous allez entendre.

____________ partez-vous? ____________ vas-tu?

____________ coûte cette robe? ____________ fait-on une quiche?

____________________ habites-tu ici? ____________________ connais-tu ce monsieur?

Maintenant, formez la question qui correspond à chacune des phrases suivantes.

B. Complétez par écrit les questions que vous allez entendre.

Pourquoi Guy ____?

Quand Marc ____?

Combien ____?

Nom ______________________________ Classe ______________ Date ______________

C. Formez la question qui correspond à chacune des phrases suivantes. Employez l'inversion à double sujet *seulement* si la phrase est au temps composé ou si elle a un objet.

TROISIÈME PARTIE: COMPRÉHENSION ORALE

Écoutez la conversation suivante entre Claude et Chantal, deux étudiants à la Sorbonne. Essayez de comprendre ce qu'ils discutent. Il y aura six questions à la fin de leur conversation.

Exercice de compréhension orale

Écoutez les questions suivantes et choisissez la réponse correcte.

1. a b c
2. a b c
3. a b c
4. a b c
5. a b c
6. a b c

QUATRIÈME PARTIE: DICTÉE

Le passage suivant sera lu deux fois. La première fois, écoutez seulement et n'écrivez pas. Essayez de comprendre de quoi il s'agit. La deuxième fois, écrivez ce que vous entendez.

____

____

____

____

____

____

Leçon 12

PREMIÈRE PARTIE: LA LIAISON

La liaison est l'action de prononcer deux mots consécutifs en unissant la consonne finale au mot suivant. Remarquez bien que le mot "liaison" s'applique seulement à des consonnes qui ne sont pas prononcées dans le mot isolé. Comparez les groupes de mots suivants:

un grand‿hôtel	un grand bâtiment

Répétez les groupes de mots suivants en essayant de reproduire aussi exactement que possible la prononciation.

un grand‿homme	un grand monsieur
un petit‿ami	un petit camarade
de beaux‿arbres	de beaux légumes
les petits‿enfants	les petits gamins
un gros‿arbuste	un gros buisson
un long‿usage	un long silence
de belles‿idées	de belles cartes
de pauvres‿étudiants	de pauvres garçons
de jeunes‿amis	de jeunes femmes
un bon‿ami	un bon copain
au premier‿étage	au premier niveau
de nombreux‿invités	de nombreux convives

Notez que la consonne se prononce avec la syllabe de la voyelle qui suit. En général, les consonnes finales ne sont pas prononcées dans les mots isolés, mais dans la chaîne parlée, on les prononce encore. En grande partie, c'est le style qui détermine la liaison. Plus le style est élégant, plus on fait la liaison. En général, on peut distinguer quatre styles:

la conversation familière
la conversation soignée
la conférence professorale
la récitation de poésie

D'ordinaire, dans la conversation familière, si une liaison n'est pas obligatoire, on ne la fait pas; par exemple:

Des‿étudiants /américains / ont / écouté le grand‿homme.

Dans la conversation soignée, on fait plus de liaisons:

Des‿étudiants /américains / ont‿écouté le grand‿homme.

Dans la conférence professorale, on en fait la majorité:

Des‿étudiants‿américains / ont‿écouté le grand‿homme.

Dans la récitation poétique, on fait toutes les liaisons possibles, sauf celles qui sont interdites:

Des‿étudiants‿américains‿ont‿écouté le grand‿homme.

La liaison sert souvent à souligner une différence de sens. Répétez et comparez.

Est‿-il venu?	Et / il est venu.
les‿auteurs	les / hauteurs
un‿être	un / hêtre
en‿eau	en / haut

Les seules consonnes qu'on peut lier sont: **d, g, n, p, r, s, t, x et z.** Répétez les groupes de mots suivants.

un grand‿ami
un long‿usage
un‿obstacle
trop‿obscur, beaucoup‿aimé
nous‿avons
un petit‿appartement
deux‿amis, six‿étudiants, dix‿images
penses‿-y, allez‿-y
pour‿arriver‿à l'heure

Nom ______________________________ Classe ______________ Date ______________

La liaison avec **r** se fait de moins en moins.

Dans les groupes de mots suivants, remarquez que les adjectifs qui se terminent en **n** perdent leur valeur nasale quand ils sont suivis par un nom masculin commençant par une voyelle. Répétez et comparez les groupes de mots suivants.

Un bon‿étudiant	une bo**nne** étudiante
un ancien‿ami	une ancie**nne** amie
un certain‿effort	une certa**ine** idée
en plein‿été	en ple**ine** forme
le prochain‿avion	à la procha**ine** occasion
le Moyen-‿Orient	moye**nne** altitude
un vain‿espoir	une va**ine** attente
le divin‿enfant	la div**ine** Hélène

DEUXIÈME PARTIE: GRAMMAIRE ET SYNTAXE

I. Le discours indirect

A. Complétez par écrit les phrases que vous allez entendre.

1. Qu'est-ce que c'est?
   Il m'a demandé ____ ________ ____'________.

2. Je viendrai.
   Il a dit ____ '____ ____________.

3. Avez-vous mangé?
   Il a demandé ____ ________ ________ ________.

4. Nous aurons fini avant minuit.
   Ils ont dit ____ ' ____ ____________ ________ avant minuit.

Continuez oralement.

B. Racontez à un ami une discussion que vous avez eue avec votre mère.

Modèle: Elle a dit "Je ne te comprends plus!"
Elle a dit qu'elle ne me comprenait plus.

C. Racontez une conversation que vous avez eue avec un ami curieux.

Modèle: Qu'est-ce que tu fais ce soir?
Elle m'a demandé ce que je faisais ce soir-là.

D. Rapportez les ordres suivants d'une amie exigeante.

Modèle: Sois sage!
Elle m'a dit d'être sage.

E. Racontez ce qu'un ami vous a dit sur ses projets.

Modèle: Hier, je suis allé à la banque.
Il a expliqué qu'il était allé à la banque la veille.

II. La concordance des temps

A. Racontez un moment de découragement dans votre vie.

Modèle: Je pense qu'il faut faire le point.
Je pensais qu'il fallait faire le point.

B. Votre amie est plutôt optimiste. Racontez ses remarques à une autre personne.

Modèle: "Je pense qu'un jour tout ira bien."
Elle pensait qu'un jour tout irait bien.

III. La négation

A. Répondez négativement aux questions suivantes.

Modèle: Avez-vous des frères et des soeurs?
Je n'ai ni frères ni soeurs.

B. Répondez négativement aux questions suivantes.

Modèle: Il est allé quelque part?
Il n'est allé nulle part.

C. Donnez la négation des infinitifs.

Modèle: Il est sûr d'y aller.
Il est sûr de ne pas y aller.

Nom ________________________ Classe ______________ Date ______________

TROISIÈME PARTIE: COMPRÉHENSION ORALE

D'abord, vous allez entendre quelques mots. Répétez chaque mot et écoutez sa définition. Vous devez comprendre ces mots pour bien comprendre le passage qui suit.

crevé	fatigué
en avoir marre	en avoir assez
démissioner	quitter son travail

Bernard rejoint ses amis Irène et Jean-Michel. Essayez de comprendre de quoi ils parlent. Il y aura cinq questions à la fin de leur conversation.

Exercice de compréhension orale

Écoutez les questions suivantes et choisissez la réponse correcte.

1. a b c

2. a b c

3. a b c

4. a b c

5. a b c

QUATRIÈME PARTIE: DICTÉE

Le passage suivant sera lu deux fois. La première fois, écoutez seulement et n'écrivez pas. Essayez de comprendre de quoi il s'agit. La deuxième fois, écrivez ce que vous entendez.

____

____

____

____

____

____

____

____

Extrait de: Voltaire, "Méchant"
Dictionnaire philosophique,
1976.

Leçon 13

PREMIÈRE PARTIE: LA LIAISON

Nous avons vu dans la *leçon* 12, que certaines consonnes changent de valeur auditive dans la liaison.

Répétez les groupes de mots suivants en remarquant les changements.

un gros_homme
de beaux_yeux
neuf_heures
quand_il y a
un grand_hôtel
un long_usage

Nous avons vu également que c'est le style qui détermine en grande partie la liaison. Les liaisons qui vous importent se rapportent au style de la conversation soignée.

Répétez les groupes de mots suivants en remarquant leur valeur exemplaire.

un_étudiant
les_étudiants
ces_étudiants
des étudiants
aux_étudiants
mon_ami
mes_amis
vos_amis
leurs_amis

quelques_hommes
plusieurs_hommes
de tels_hommes
tout_homme
un grand_ami
un petit_ami
de nombreux_enfants
au dernier_étage

Il y a toujours une liaison entre un pronom et son verbe. Répétez les groupes de mots suivants.

vous‿allez
vous‿êtes
ils‿arrivent
ils‿ont
on‿a fait

Les liaisons suivantes sont obligatoires.

pensez-y
nous‿y sommes
ils‿en‿ont
on‿en‿aura
allons-nous-en
allez-vous-en
vous‿y êtes
parlons-en
vient-il
viennent-ils

mange-t-elle
fait-il
c'est‿inévitable
il est‿inévitable
dans‿un‿an
chez‿elle
sans‿argent
en‿été
en‿anglais

très‿aimable
trop‿idiot
plus‿élégant
moins‿intéressant
rien‿à faire
quand‿on‿arrive

Les liaisons suivantes sont consacrées par l'usage. Répétez et notez bien les liaisons.

les‿États-Unis
les Champs-Élysées
comment‿allez-vous
un pied-à-terre
il était‿une fois
de plus‿en plus

de moins‿en moins
de mieux‿en mieux
de temps‿en temps
tout‿à coup
tout‿à l'heure
tout‿à fait

tout‿au plus
mot‿à mot
pas‿à pas
avant-hier
accent‿aigu

DEUXIÈME PARTIE: GRAMMAIRE ET SYNTAXE

I. L'adverbe

Décrivez le comportement d'une personne que vous observez.

Modèle: Il parle avec douceur.
Il parle doucement.

Nom ______________________________ Classe ______________ Date ______________

II. La place des adverbes

A. Vous avez passé une très bonne journée; décrivez-la.

Modèle: J'ai dormi.
J'ai bien dormi.

B. Votre ami n'a pas passé une bonne journée.

Modèle: Il dort mal.
Il a mal dormi.

III. Le participe présent et le gérondif

A. Complétez par écrit les phrases que vous allez entendre. Employez le participe présent.

Parce qu'il redoutait la réaction de son père, il cacha ses toiles.

_________________ la réaction de son père, il cacha ses toiles.

On apercevait un navire *qui franchissait* la ligne de récifs.

On apercevait un navire _________________ la ligne de récifs.

Son père, *qui rugissait* de colère, entra dans l'atelier.

Son père, _________________ de colère, entra dans l'atelier.

Maintenant, transformez par écrit les phrases que vous allez entendre. Employez le participe présent.

1. _________________ la réaction de son père, il cacha ses toiles.
2. _________________ l'attitude de son père, Erick cacha ses toiles.
3. _________________ la réaction de son père, il cacha ses toiles.
4. On distinguait un navire _________________ du Sud.
5. On apercevait un navire _________________ de voiles pourpres.
6. Son père, _________________ sa colère, partit sans rien dire.

7. Erick _________________ de vue l'opinion de son père, continuait

à peindre comme il voulait.

B. Employez le gérondif dans les phrases suivantes.

Modèle: Si on voyage, on apprend beaucoup de choses.
En voyageant, on apprend beaucoup de choses.

C. Employez le gérondif dans les phrases suivantes.

Modèle: Il travaille et il chante.
Il travaille en chantant.

D. Transformez les phrases suivantes pour indiquer la manière dont une action est faite.

Modèle: Pour se détendre, il écrit.
Il se détend en écrivant.

E. Employez l'expression **tout en** . . . dans les phrases suivantes.

Modèle: En réfléchissant, il regarde par la fenêtre.
Tout en réfléchissant, il regarde par la fenêtre.

F. Employez le participe présent comme adjectif verbal dans les phrases suivantes.

Modèle: C'est une plante qui grimpe.
C'est une plante grimpante.

TROISIÈME PARTIE: COMPRÉHENSION ORALE

Écoutez la conversation entre Isabelle et Jean-Paul qui visitent une exposition du grand artiste Pablo Picasso. Il y aura six questions à la fin de leur conversation.

Nom ______________________________ **Classe** ______________ **Date** ______________

Exercice de compréhension orale

Écoutez les questions suivantes et choisissez la réponse correcte.

1. a b c

2. a b c

3. a b c

4. a b c

5. a b c

6. a b c

QUATRIÈME PARTIE: DICTÉE

Dans le passage suivant il s'agit de la chanson québécoise. Le passage sera lu deux fois. La première fois, écoutez seulement et n'écrivez pas. Essayez de comprendre les idées générales. La deuxième fois, écrivez ce que vous entendez.

____

____

____

____

____

____

____

____

____

____

Extrait de: Pascal Normand,
La Chanson québécoise,
Éditions France-Amérique,
1981.

Leçon 14

PREMIÈRE PARTIE: L'INTONATION

En français, la voyelle d'une syllabe est dite sur une seule note. Elle n'est pas chantée comme en anglais. En répétant les mots suivants, efforcez-vous de maintenir le niveau du ton.

tombeau, berceau, le vrai, le beau, des plans,
des mots, du pain, du lait, des chats, des chiens

Dans un groupe de mots, c'est toujours la dernière syllabe qui porte la note la plus élevée ou la plus grave. Répétez les groupes de mots suivants.

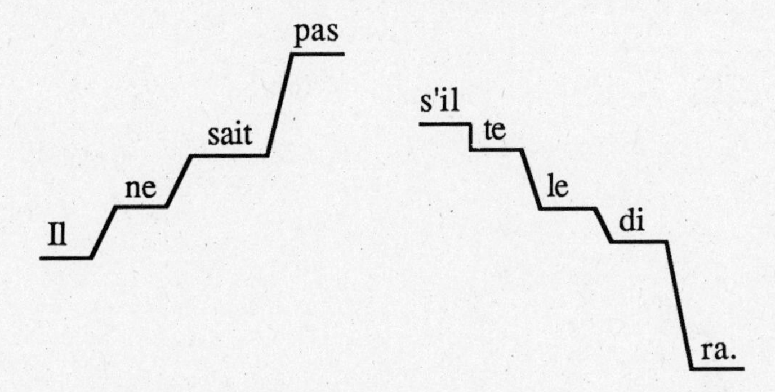

En français, on peut distinguer deux modèles d'intonation. Le premier indique la continuation de la pensée; il est marqué par un ton montant. Le deuxième indique la finalité de la pensée et est marqué par un ton descendant.

Tout en gardant le schéma montant ou descendant, on peut varier les tons qui précèdent le ton final. Répétez les groupes suivants.

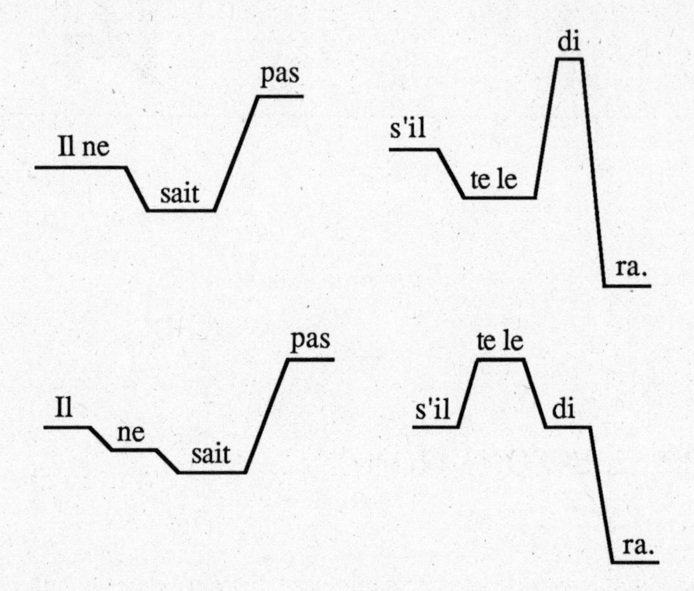

En français, il y a plus de groupes montants que de groupes descendants. Un groupe montant ou implique une continuation, ou indique une question à laquelle on répond par *oui* ou *non*. Répétez les groupes suivants qui signalent une idée supplémentaire:

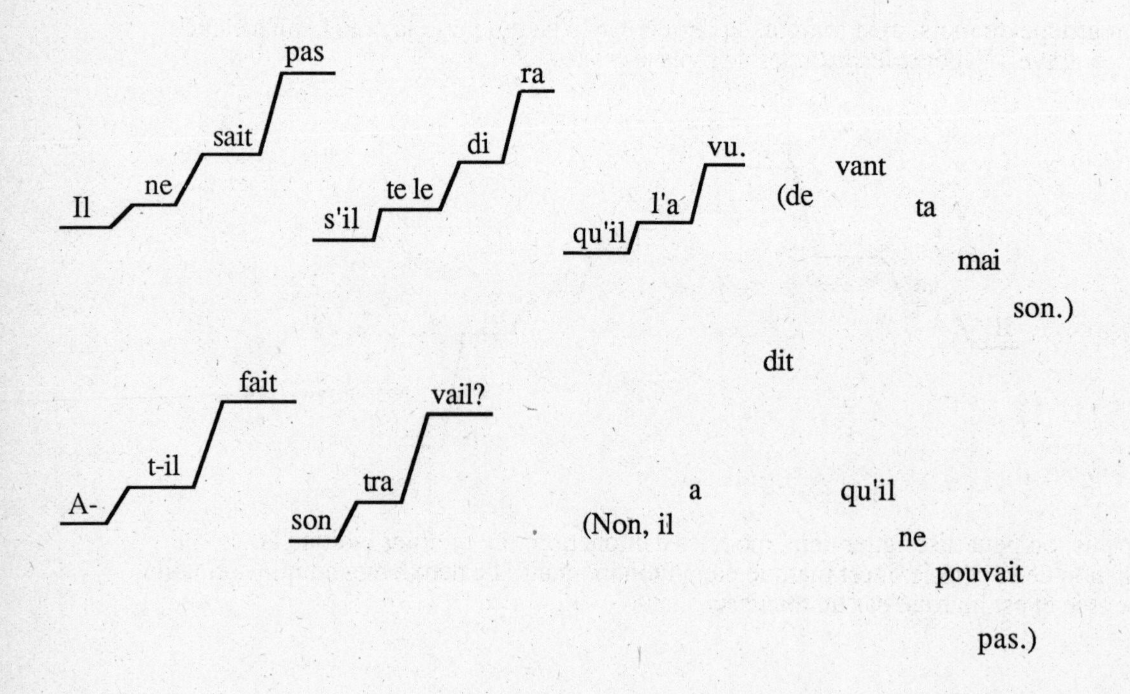

Nom ______________________ Classe ____________ Date ____________

Les groupes descendants qui suivent indiquent soit la fin d'une phrase déclarative, soit un commandement. Répétez-les en essayant d'imiter l'intonation aussi exactement que possible.

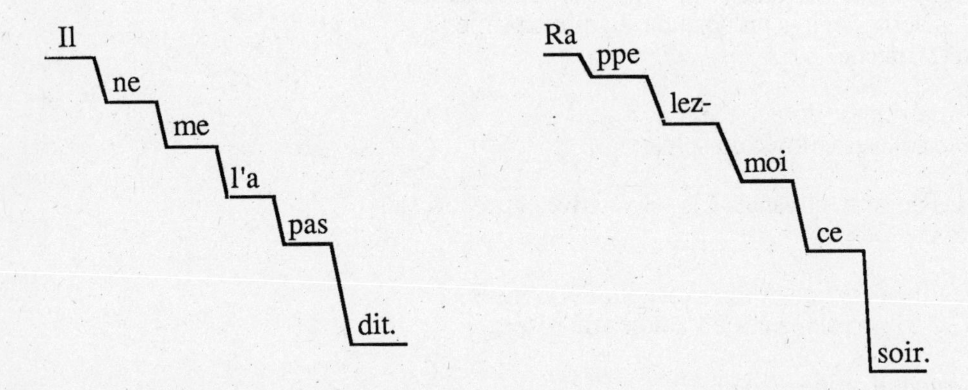

Une question à laquelle on ne peut pas répondre *oui* ou *non* fait partie des groupes descendants. Répétez les questions suivantes en essayant d'imiter l'intonation descendante aussi exactement que possible.

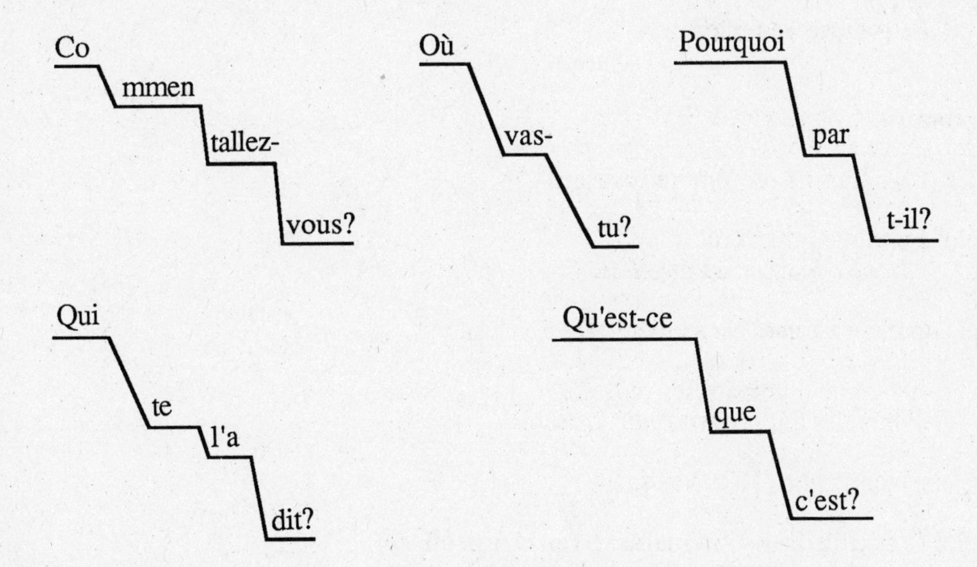

DEUXIÈME PARTIE: GRAMMAIRE ET SYNTAXE

I. La voix passive

A. Mettez les phrases suivantes à la voix passive. Attention au temps des verbes.

Modèle: Les hommes ont chassé les fées.
Les fées ont été chassées par les hommes.

B. Mettez les phrases suivantes à la voix passive. Attention au temps des verbes et à la préposition **de** qui exprime une émotion ou un état.

Modèle: Le soldat adore la fée.
La fée est adorée du soldat.

C. Mettez les phrases suivantes à la voix active. Attention au temps des verbes.

Modèle: Elle a été transformée en gouttes de rosée.
On l'a transformée en gouttes de rosée.

D. *La construction pronominale*

Dans les phrases suivantes, remplacez **on** par la construction pronominale.

Modèle: Ici, on parle français.
Le français se parle ici.

II. faire "causatif"

A. Formez des phrases avec le faire "causatif".

Modèle: Les angelots ont fui.
Pivette a fait fuir les angelots.

B. Votre camarade est gâté par sa mère. Décrivez sa vie.

Modèle: Est-ce qu'il prépare ses repas?
Non, il les fait préparer par sa mère.

C. Votre voisin est riche. Décrivez sa vie.

Modèle: Est-ce qu'il a bâti sa maison? (un charpentier)
Non, il l'a fait bâtir par un charpentier.

D. Transformez les phrases suivantes.

Modèle: J'ai fait goûter la quiche à Yvette.
Je la lui ai fait goûter.

E. Employez le faire "causatif" dans les phrases suivantes.

Modèle: On a grondé Pivette.
Elle s'est fait gronder.

Nom ______________________________ Classe ______________ Date ______________

TROISIÈME PARTIE: COMPRÉHENSION ORALE

Écoutez la discussion suivante entre Raymond, Danielle et Josette. Essayez de comprendre de quoi ils parlent. Il y aura quatre questions à la fin du passage.

Exercice de compréhension orale

Écoutez les questons suivantes et choisissez la réponse correcte.

1. a b c
2. a b c
3. a b c
4. a b c

QUATRIÈME PARTIE: DICTÉE

Le passage suivant sera lu deux fois. La première fois, écoutez seulement et n'écrivez pas. Essayez de comprendre le sens du passage. La deuxième fois, écrivez ce que vous entendez.

____

____

____

____

____

____

____

____

____

____

Leçon facultative

PREMIÈRE PARTIE: LA LECTURE

La récitation est un moyen efficace pour apprendre à bien prononcer le français. Écoutez le poème Le Pont Mirabeau de Guillaume Apollinaire.

Le Pont Mirabeau

Sous le pont Mirabeau coule la Seine
Et nos amours
Faut-il qu'il m'en souvienne
La joie venait toujours après la peine

Vienne la nuit sonne l'heure
Les jours s'en vont je demeure

Les mains dans les mains restons face à face
Tandis que sous
Le pont de nos bras passe
Des éternels regards l'onde si lasse

Vienne la nuit sonne l'heure
Les jours s'en vont je demeure

L'amour s'en va comme cette eau courante
L'amour s'en va
Comme la vie est lente
Et comme l'Espérance est violente

Vienne la nuit sonne l'heure
Les jours s'en vont je demeure

Passent les jours et passent les semaines
Ni temps passé
Ni les amours reviennent
Sous le pont Mirabeau coule la Seine

Vienne la nuit sonne l'heure
Les jours s'en vont je demeure

Guillaume Apollinaire,
"Le Pont Mirabeau,"
Alcools, Éditions
Gallimard, 1913.

Maintenant, répétez chaque vers du poème en essayant d'imiter aussi exactement que possible l'accent de l'acteur.

DEUXIÈME PARTIE: GRAMMAIRE ET SYNTAXE

I. L'imparfait du subjonctif

Le présent du subjonctif remplace l'imparfait du subjonctif dans le langage courant. Écoutez le modèle.

Modèle: Il fallait qu'il s'en allât.
Il fallait qu'il s'en aille.

Maintenant, complétez par écrit les phrases suivantes en remplaçant l'imparfait du subjonctif par le présent du subjonctif. Commencez.

1. Elle voulait qu'il ________________ moins jeune.

2. Elle était étonnée qu'il n'________________ que vingt ans.

3. Je voudrais qu'il ________________ la vérité.

4. La veuve exigeait que tu ________________ là.

5. Elle aurait voulu qu'ils ________ la vérité.

6. Elle était surprise qu'ils ________ tant d'excuses.

7. Alcibiade voulait que les femmes l'________ pour lui-même.

8. Elle voulait qu'il lui ________ son honneur.

9. Il aurait voulu qu'elles _________ parfaites.

10. Elle souhaitait que ses amis ________ ses lettres.

II. Le plus-que-parfait du subjonctif

A. Remplacez le plus-que-parfait du subjonctif par le passé du subjonctif dans les phrases suivantes.

Modèle: Il aurait voulu qu'elle fût restée fidèle.
Il aurait voulu qu'elle soit restée fidèle.

B. Complétez par écrit les phrases que vous allez entendre. Remplacez les temps littéraires par les temps du langage courant.

Modèle: Il fût tombé amoureux, s'il ne l'eût pas reconnue pour Érigone.

Il ____________ amoureux, s'il ________________________ pour Érigone.

Commencez.

1. Si les femmes l' ____________ ________, il ________ ________ heureux.

2. Si les femmes ____________ ________, il ________ ________ heureux.

3. Si elles ____ ____ ____________ ________, il ________ ________ triste.

4. S'il ________ ________ aimé, il ________ ____________ une grande joie.

5. S'il ________ ________ les femmes, il n' ________ ____________ ____________ un amour de cette nature.

6. S'il ________ ____________ à ce moment-là, il ________ ____________.

C. Remplacez les temps littéraires par les temps du langage courant.

Modèle: Quelle femme n'eût pas paru laide après Érigone?
Quelle femme n'aurait pas paru laide après Érigone?

III. Le passé antérieur et le passé surcomposé

Complétez par écrit les phrases suivantes en remplaçant le passé antérieur par le passé surcomposé. Écoutez le modèle.

Modèle: Dès qu'il <u>eut vu</u> Érigone, il <u>tomba</u> amoureux.

Dès qu'il ____ ________ ________ Érigone, il ________

____________ amoureux.

1. Dès qu'il ____ ________ ____________, il ________ ____________.
2. Lorsqu'il ____ ________ ____________ avec son maître, il ________ ____________.
3. Aussitôt qu'il ____' ____ ________ ____________, il ________ ____________.
4. Quand il ____ ________ ____________ la vérité, il ____'________ ____________.

TROISIÈME PARTIE: COMPRÉHENSION ORALE

Écoutez la conversation entre Luce et Huguette. Essayez de comprendre de quoi elles parlent. Il y aura sept questions à la fin de leur conversation.

Exercice de compréhension orale

Écoutez les questions suivantes et choisissez la réponse correcte.

1. a b c
2. a b c
3. a b c
4. a b c
5. a b c

6. a b c

7. a b c

QUATRIÈME PARTIE: DICTÉE

La lettre suivante sera lue deux fois. La première fois, écoutez seulement et n'écrivez pas. Essayez de comprendre de quoi il s'agit. La deuxième fois, écrivez ce que vous entendez.

____________________,

____

____

____

____

____

____

____

____

____

____

CAHIER D'EXERCICES ÉCRITS

Leçon 1

ÉTUDE DU LEXIQUE

A. Formez des phrases complètes en choisissant un groupe de mots de chaque colonne.

Il m'a réservé	ouvrir mon bureau.
Leur rapport	avertis-moi!
Elle a poussé	un parti politique.
Si tu ne peux pas venir,	depuis qu'ils se sont brouillés.
Nous voulons nous inscrire à	a du bon et du mauvais.
Je ne supporte pas	me servir d'un ordinateur.
Ils ne se parlent plus	tout ira bien.
Ne vous inquiétez pas,	mais il s'intéresse à elle.
Je ne sais pas	un grand soupir.
Tu crois qu'il ne la remarque pas,	les tenues extravagantes.
Quand on est majeur,	sa façon d'agir.
Je n'aime pas	on a le droit de vote.
Ne t'attache pas à lui	au fond, c'est un méchant.
Cette clé sert à	un bon accueil.

1. ______________________________

2. ______________________________

3. ______________________________

4. ______________________________

5. ______________________________

6. ______________________________

7. ______________________________

8. ______________________________

9. ______________________________

10. ______________________________

11. ______________________________

12. ______________________________

13. ______________________________

14. ______________________________

B. Vous voulez organiser un orchestre. Désignez qui va jouer de quel instrument de musique. Variez les pronoms.

Exemple: Moi, je vais jouer du piano. Guy et Martin vont jouer de la flûte.

la clarinette	le tambour	la trompette	le hautbois
le violon	la harpe	le basson	les cymbales
le violoncelle	le trombone	la contrebasse	le picolo

1. ______________________________

2. ______________________________

3. ______________________________

4. ______________________________

Nom ______________________________ Classe ______________ Date ______________

5. ____

6. ____

C. Vous êtes professeur dans un lycée. Racontez à un ami les jeux que les étudiants de votre classe semblent préférer.

Exemple: Natalie préfère jouer au ballon, mais Éric joue plus souvent aux dés.

les échecs	la roulette	les dominos	le croquet
les dames	les billards	le trictrac	les boules
les cartes	la balle	les dés	le Scrabble

1. ____

2. ____

3. ____

4. ____

5. ____

6. ____

D. Vous parlez à un(e) bon(ne) ami(e) d'un rapport entre deux personnes que vous connaissez. Employez un des verbes ci-dessous pour commenter la remarque de votre ami(e).

Exemple: Avez-vous remarqué que Michel amène toujours Anne aux réceptions?
Oui, je crois qu'il s'intéresse à elle.

supporter	oser	s'intéresser	s'inquiéter de
se brouiller	amener	s'attacher	

1. Avez-vous remarqué que Michel a mis son bras autour d'Anne à la réception?

Oui, ____

2. Avez-vous remarqué que Michel est souvent accompagné d'Anne? Oui, ____

____

3. Est-ce qu'il vous a parlé de leurs rapports? Non, ______________

____

4. Est-ce qu'il est venu avec elle à la réception hier soir? Non, ____________

____

5. Je crois qu'elle est partie en vacances. Oui, et ____________

____

6. Je crois aussi qu'il s'est disputé avec elle. Oui, ____________

____

7. Il ne voulait pas qu'elle quitte Paris. C'est vrai, ____________

____

E. Si l'on n'est pas majeur, qu'est-ce qu'on peut et ne peut pas faire? Faites des phrases à partir des suggestions données.

Exemple: On peut s'intéresser à la politique, mais on ne peut pas voter.

s'intéresser à	se servir d'une carte de crédit	louer une voiture
élire un sénateur	ouvrir un compte en banque	boire
entrer dans un casino	acheter une propriété	voter

1. ____
2. ____
3. ____
4. ____

GRAMMAIRE

I. Le présent de l'indicatif (Verbes réguliers et irréguliers)

A. *Pauline, ses amies et sa famille.* Complétez le paragraphe suivant en employant les verbes de la liste ci-dessous. Notez que vous pouvez employer certains verbes deux fois.

pouvoir	jouer	avoir	devenir	amener
être	aimer	suivre	venir	faire
aller	oser	vouloir	trouver	regarder

De temps en temps, Pauline ________________ des jeunes gens chez nous.

Ils ________________ de la guitare, ________________ la télévision, puis

leurs visites ________________ plus rares et elles ne ________________

plus nous voir. Pauline ________________ qu'un si bon accueil de sa famille

________________ du bon et du mauvais. Si nous ________________

ses goûts, nous ________________ des difficultés à oublier ses amis. Nous

________________ savoir plus sur chacun: ________________-il sérieux?

Quels ________________ ses intérêts? ________________-t-il les enfants?

Elle n'________________ plus inviter ses copins, car quand elle

________________ arrêter de les voir, elle ne ________________ pas.

C'________________ difficile. Nous ________________ regretter ces

visites.

B. *Les jeunes dans le monde*. Complétez les phrases suivantes en employant les verbes entre parenthèses au négatif ou à l'affirmatif, selon le sens.

Exemple: Vous ne pouvez pas voter, si vous ________________ majeur. (être)
Vous ne pouvez pas voter, si vous n'êtes pas majeur.

1. S'ils ________________ majeurs, ils ne pourront pas voter. (être)
2. Tous les jeunes ________________ que le droit de vote ________________ important. (dire, être)
3. Les parents ________________-ils leurs enfants? (comprendre)
4. Les enfants ________________ toujours à leurs parents. (obéir)
5. Si l'on ________________, on ne réussira pas à l'examen. (étudier)

6. De temps en temps, les jeunes ________________ de manière responsable. (agir)

7. Que ________________-vous de la majorité à 18 ans? (penser)

8. À partir de 18 ans, les jeunes ________________ quitter la maison de leurs parents sans demander leur accord. (pouvoir)

9. Un jeune qui ________________ ________________ se servir librement de son argent. (travailler, pouvoir)

10. À partir de 18 ans, les jeunes ________________ responsables devant la loi. (être)

11. La société ________________ aux jeunes le droit de penser en toute liberté. (reconnaître)

12. Vous ________________ majeur, donc vous ________________ vos films, votre métier et vous ________________ choisir ce que vous ________________ devenir. (être, choisir, pouvoir, aller)

13. Vous ________________ ce que vous ________________. (faire, dire)

14. Si vous ________________ vos études, vos parents seront déçus. (réussir)

15. Il ________________ laisser les autres décider à notre place. (falloir)

16. Grâce à la nouvelle loi, 2 500 000 jeunes ________________ voter. (aller)

17. En votant, on ________________ faire changer beaucoup de choses. (pouvoir)

18. C'________________ le travail qui ________________ adultes les gens. (être, rendre)

19. Si tu ________________ avant de voter, tout ira mieux. (réfléchir)

Nom ______________________ **Classe** ______________ **Date** ______________

20. Les hommes politiques ________________ beaucoup de choses, mais en ________________ peu. (promettre, faire)

C. *Votre façon de vivre.* Répondez aux questions suivantes affirmativement ou négativement, selon le cas.

1. Menez-vous une vie déréglée?

____

2. Amenez-vous votre mère dans votre chambre tous les jours?

____

3. Achetez-vous beaucoup de livres?

____

4. Est-ce que vous époussetez les meubles dans votre chambre tous les jours?

____

5. Comment vous appelez-vous?

____

6. Rappelez-vous vos amis quand ils téléphonent?

____

7. Jetez-vous vos livres à la fin de vos cours?

____

8. Est-ce que vous et votre ami mangez souvent au restaurant?

____

9. Est-ce que vous et votre ami préférez jouer aux échecs ou au Scrabble?

____

10. Est-ce que vous et votre ami espérez réussir vos études?

____

11. Qui paie l'addition quand vous allez au restaurant?

____

12. Essayez-vous de comprendre les candidats avant de voter?

____

D. Vous arrivez en France pour étudier la littérature. En employant les éléments donnés, formez les questions que votre concierge vous pose. Ensuite, donnez vos réponses.

1. Depuis combien de temps / vous / étudier / la littérature?

____

2. Depuis quand / vous / s'intéresser / la littérature?

____

3. Depuis quand / vous / être / en France?

____

4. Ne pas / comprendre / vous / ma question?

____

E. Répondez à la question suivante de quatre manières équivalentes.

Depuis combien de temps étudiez-vous le français? (deux ans)

1. ____
2. ____
3. ____
4. ____

II. L'impératif

A. Vous comptez revenir tard du travail et vous laissez des directives à vos enfants.

1. sortir le poulet du congélateur ____________________
2. aller au magasin ____________________
3. acheter des fruits ____________________
4. revenir tout de suite ____________________
5. préparer un dessert ____________________

Nom ______________________ Classe ____________ Date ____________

6. mettre le couvert ______________________

B. Dites à un(e) ami(e)

1. de venir vous voir. ______________________

2. d'amener son ami. ______________________

3. d'apporter du vin. ______________________

4. d'être à l'heure. ______________________

5. d'avoir du courage. ______________________

C. Vous êtes fatigué et n'avez pas envie de sortir avec votre ami.

Exemple: (quitter)
Ne quittons pas la maison!

1. (aller au restaurant) ______________________

2. (sortir au cinéma) ______________________

3. (jouer aux cartes) ______________________

4. (téléphoner à nos amis) ______________________

5. (inviter nos amis) ______________________

D. En vous référant au plan de Montréal, employez l'impératif pour dire à une personne qui est devant la Salle André-Pagé, comment arriver au Théâtre d'Aujourd'hui.

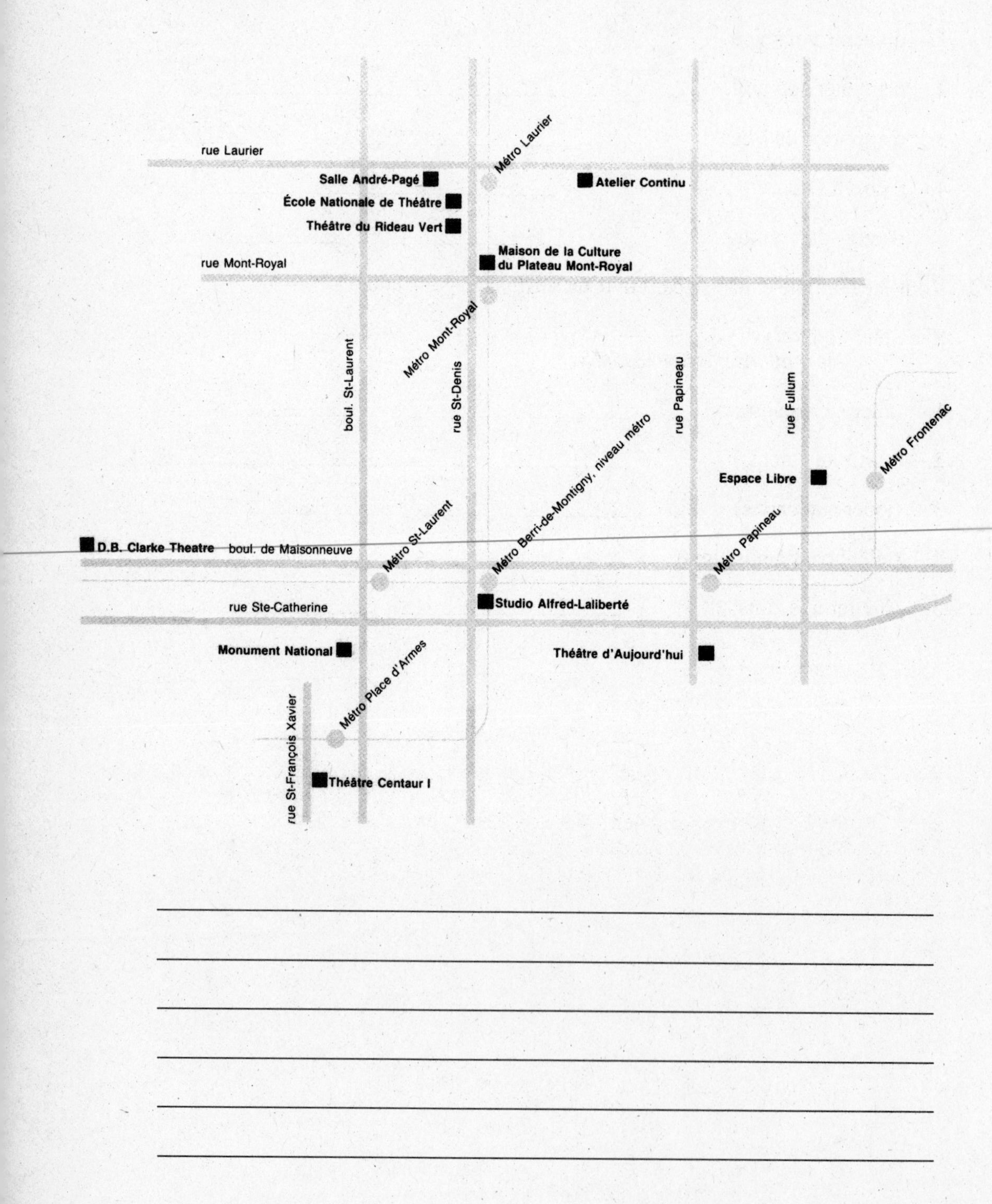

Nom ______________________ Classe ____________ Date ____________

III. Le futur proche et le passé récent

A. En vous référant au plan de Montréal, employez le futur proche pour dire:

1. Comment vous allez arriver à l'Atelier Continu à partir du Monument National.
2. Comment vous allez arriver au Théâtre de l'Espace Libre à partir du coin de la rue Mont-Royal et du boulevard St-Laurent.
3. Comment vous allez arriver au Théâtre Centaur I, à partir de l'Espace Libre.

1. ____

____

____

____

2. ____

____

____

____

3. ____

____

____

____

B. Xavier et Rosanne viennent de se retrouver dans un café de la rue St-Denis. Xavier vient de voir la pièce *les Paradis n'existent plus* au Studio Alfred-Laliberté, tandis que Rosanne vient de voir la pièce *La Lumière blanche* au Théâtre d'Aujourd'hui. En employant le passé récent, écrivez un petit dialogue où les amis se disent ce qu'ils viennent de faire. Ajoutez ensuite, ce qu'ils vont faire demain.

Xavier: ____

Rosanne: ____

Xavier: ______________________________

____

____

Rosanne: ______________________________

____

____

Xavier: ______________________________

Rosanne: ______________________________

THÈME

Donnez l'équivalent en français des phrases qui suivent.

1. Aren't you going to open a bank account?

____

____

2. He plays the violin, but he doesn't know how to play the guitar.

____

____

3. Bring your friend and let's play cards!

____

____

4. I don't dare ask questions.

____

____

Nom ______________________________ **Classe** ______________ **Date** ______________

5. Think before acting!

____

____

6. I'm of age; therefore, I have the right to vote.

____

____

7. Everyone says independence is important.

____

____

8. Do you understand French?

____

____

9. Don't you speak French?

____

____

10. We just made reservations.

____

____

EXERCICE PRATIQUE

Après avoir reçu votre diplôme universitaire, vous travaillez comme professeur d'anglais à une école privée à Paris. Vous désirez demander une carte American Express. Vous habitez un petit appartement au 23, rue des Fossés Saint-Jacques dans le 5° arrondissement (Paris est divisé en 20 sections, appelées "arrondissements") qui est au milieu du Quartier Latin où habitent beaucoup d'étudiants. Vous avez un compte en banque au Crédit Lyonnais, situé au coin du boulevard Saint-Michel et du boulevard Saint-Germain. Et vous gagnez 10.000 FF par mois. Remplissez le formulaire à la page suivante aussi exactement que possible.

Ⓐ PARTIE- **A** - A HUMIDIFIER ET A COLLER SUR - **B** Ⓑ

AMERICAN EXPRESS

S-03-3

DEMANDE DE CARTE AMERICAN EXPRESS

CONFIDENTIEL

COMPTE PERSONNEL en F.F.

☐ M. ☐ Mme ☐ Mlle

Votre nom — Nom — Prénom

Votre adresse personnelle — Code postal — Ville — Numéro de téléphone

Date de naissance J M A

Lieu

Etes-vous propriétaire ☐

ou locataire ☐ de votre habitation?

Depuis combien d'années?

Nombre de personnes à charge

Votre banque personnelle — Nom — Adresse — Code postal — Ville — Numéro de votre compte — Ancienneté de votre compte

Banque précédente, autre banque ou autre compte* — Nom — Adresse — Code postal — Ville — Numéro de votre compte

Votre profession — Profession/titre — Employeur (éventuellement) — Ancienneté — Activité de l'entreprise — Téléphone — Adresse — Code postal — Ville — Formation universitaire si vous êtes diplômé depuis moins de 2 ans — Date de votre diplôme

Vos revenus — Vos revenus personnels annuels (en F.F.) :

Avez-vous déjà demandé la Carte American Express? ☐ en avez-vous une? ☐ en avez-vous possédé une? ☐

si oui, indiquez son N°

Vous désirez recevoir votre relevé mensuel à votre domicile ☐ votre bureau ☐

Carte supplémentaire — Veuillez adresser une Carte supplémentaire pour un membre de ma famille majeur de 18 ans :

Nom ______ Prénom ______ Parenté ______

(si cette demande vient en complément d'une Carte existante, indiquez son N° ______ et signez au bas de ce formulaire). **X** signature du bénéficiaire

Compte Société — Si vous désirez recevoir une information détaillée sur les différentes formules "Comptes de Société" Carte American Express, cochez la case ci-contre et retournez-nous ce document en y insérant votre carte de visite professionnelle ☐

* A ne remplir que si le compte bancaire mentionné a moins de deux ans.

CR	CP	TC	AF	CPA	D.L.				

La cotisation annuelle est de 200 F pour une Carte principale, émise en francs français, et de 130 F pour une Carte supplémentaire. En outre, à l'ouverture du compte, la première année seulement, un droit d'entrée de 130 F vous sera facturé (*).

Ne réglez rien maintenant. Ces montants feront l'objet de la première facturation.

(*) Tarifs en vigueur au 1/3/1983.

"Je garantis l'exactitude des renseignements donnés ci-dessus et j'autorise American Express Carte-France et ses représentants à obtenir de mon employeur, de ma banque ou de toute autre source de son choix, les renseignements nécessaires. Je reconnais avoir pris connaissance des conditions générales régissant l'utilisation de la Carte American Express figurant au verso et je m'engage à m'y conformer ainsi qu'à régler les débits dont je serai redevable par prélèvement sur mon compte bancaire. Je reconnais en outre le droit discrétionnaire à American Express de ne pas donner suite à la présente demande sans indiquer les raisons de la décision."

Date : ______
(mention manuscrite obligatoire "lu et approuvé")

Signature **X**

Ⓐ PARTIE- **A** - A HUMIDIFIER ET A COLLER SUR - **B** Ⓑ

Nom ______________________ Classe ____________ Date ____________

PETIT ÉCRIT

1. Accordez-vous de l'importance au droit de vote? Pourquoi?

____

____

____

2. Aimez-vous amener vos amis à la maison? Pourquoi?

____

____

____

3. Quelles activités les jeunes préfèrent-ils de nos jours?

____

____

____

4. Est-ce que l'argent est important pour vous?

____

____

____

5. Vous intéressez-vous à la politique? Pourquoi?

____

____

____

MOTS CROISÉS

1	2	3	4		5	6	■
7				■	8		
9							■
	■	10		■	11		12
13				■	14		

Horizontalement

1. informer, annoncer
7. rapidement
8. difficile, le contraire de **doux**
9. productions littéraires ou artistiques
10. préposition qui indique la possession
11. 3e personne singulière du verbe **être**
13. petites avenues
14. participe passé du verbe **avoir**

Verticalement

1. verbe auxiliaire
2. le contraire de la **mort**
3. travail, essai
4. phénomènes psychiques produits pendant le sommeil
5. concept, notion
6. langue que parlent les Soviétiques
12. pronom personnel de la 2e personne, au singulier.

Leçon 2

ÉTUDE DU LEXIQUE

A. *Vous cherchez un emploi.* Récrivez le paragraphe suivant en employant une expression équivalente à celle qui est soulignée.

L'autre jour j'ai vu un poster qui annonçait un emploi dans une entreprise commerciale. Je suis rentré à bicyclette et j'ai vite pris le téléphone pour m'informer sur l'établissement. La secrétaire m'a donné des renseignements, mais semblait embarrassée quand j'ai commencé à lui parler de moi. Elle m'a dit "Il est préférable d'envoyer votre *curriculum vitae*." J'ai remarqué que j'avais commis une erreur en demandant si vite une discussion avec le chef. Je reconnais pour vrai que j'ai une prédisposition à exagérer mes mérites. En ce qui me concerne, je me fie à mes qualités, mais quelquefois je ne me rends pas compte des impressions que je fais sur les autres. À présent, je me sens à bout de forces et ne peux faire un mouvement, mais il faut oublier cet échec et polir mon image. Je ne garde pas de ressentiment contre cette secrétaire; on ne peut pas réussir la première fois à percer jusqu'au chef d'une entreprise. Par contre, elle aurait pu être plus aimable.

B. Décrivez votre journée au travail à un ami. Complétez le paragraphe suivant avec les mots ci-dessous. Conjuguez le verbe s'il le faut.

à portée de la main	interdit	lancer	à haute voix	déchiffrer
dresser l'oreille	un état	talons	des meubles	

Quand le téléphone a sonné ce matin, tout le monde ____________________.

C'était pour moi. Le chef voulait me parler, car il s'agissait de ____________________ un nouveau produit sur le marché. Il parlait ____________________ car il était dans ____________________ très enthousiaste. Toute le monde l'entendait. Au cours de l'après-midi, j'ai reçu un tas de notes qu'il fallait ____________________. En quittant le bureau, j'ai tout mis ____________________ pour demain. J'étais de bonne humeur jusqu'à ce que j'aie trouvé une contravention collée sur le pare-brise de ma voiture: "____________________ de stationner: 100F"! Je l'ai déchirée! Sans doute la police sera-t-elle bientôt sur mes ____________________!

Nom ______________________________ Classe ______________ Date ______________

GRAMMAIRE

I. L'article défini et indéfini La contraction avec *à* et *de*

A. *Salavin au travail.* Complétez le paragraphe suivant avec les mots appropriés.

________ après-midi, ________ téléphone commence à sonner. Tout ____ ____ monde dresse ________ oreille, sans en avoir ________ air. ________ conversation s'engage entre mon chef et ________ personne au téléphone. Dès ________ début ________ entretien, il avait pris ________ air embarrassé. Pendant ________ pauses, j'entendais ________ bruit qui semblait venir ________ bout ________ monde. Bientôt, je distinguais ________ éclats ________ voix agressive. Après quelques minutes, mon chef se détache ________ appareil et il dépose ________ récepteur avec rage.

B. *Comment trouver un travail.* Complétez le paragraphe suivant avec les mots appropriés.

Il n'est pas facile de trouver ________ situation. On a ________diplôme et on est plein ________ espoir. Mais comment réussir ________ trajet ________ difficultés qui mène ________ premier emploi? On nous dit toujours qu'il faut ________ expérience. ________ objectif ________ *curriculum vitae* est de vous procurer ________ entretien. C'est comme ________ publicité. Il faut fournir ________ éléments pour vous faire connaître. ________ lettre ________ accompagnement révèle ________ niveau ________ votre éducation. Quant ________ tests d'efficience, ne cédez pas ________ panique. Ils servent à savoir comment vous allez faire appel ________ rapidité et ________ précision dont vous disposez.

II. L'article partitif
L'omission de l'article

A. Vous êtes invité à dîner chez un végétarien. Formez des questions et des réponses avec les éléments donnés.

Exemple: adore / fruits
J'adore les fruits. Avez-vous des fruits?
Oui, j'ai des fruits.

1. aimer / poulet

____?

____.

2. adorer / biftek

____?

____.

3. aimer / oeufs

____?

____.

4. adorer / saucisses

____?

____.

5. aimer / haricots verts

____?

____.

6. préférer / poisson

____?

____.

7. préférer / fruits de mer

____?

____.

Nom _______________ **Classe** _______________ **Date** _______________

8. aimer / veau

______________________________?

______________________________.

9. adorer / rosbif

______________________________?

______________________________.

10. préférer / eau minérale

______________________________?

______________________________.

B. Un nouvel étudiant arrive et vous pose des questions. Formulez ses questions et vos réponses.

Exemple: besoin / je / livres?
Est-ce que j'ai besoin de livres?
Oui, tu as besoin de livres.

1. besoin / je / encre?

______________________________?

______________________________.

2. besoin / je / papier?

______________________________?

______________________________.

3. besoin / je / cahiers?

______________________________?

______________________________.

4. avoir / tu / beaucoup / livres?

______________________________?

______________________________.

5. avoir / tu / assez / argent?

____?

____.

6. avoir / on / plus / travail / qu'au lycée?

____?

____.

7. pouvoir / je / avoir / tasse / thé?

____?

____.

8. plupart / gens / être / sympathiques?

____?

____.

9. avoir / tu / peur / professeurs?

____?

____.

10. pouvoir / je / avoir / encore / thé?

____?

____.

11. avoir / vous / trop / devoirs?

____?

____.

12. pouvoir / je / prendre / jus / orange?

____?

____.

Nom ______________________________ Classe ______________ Date ______________

C. Votre ami ne veut pas grossir. Faites des phrases selon l'exemple.

Exemple: bonbons
Elle aime les bonbons mais elle n'achète pas de bonbons.

1. les spaghetti ____.
2. les macaroni ____.
3. le coca ____.
4. le sucre ____.
5. les gâteaux ____.
6. les pommes de terre ____.
7. la crème ____.
8. le beurre ____.
9. les noix ____.
10. l'huile d'olive ____.

III. Les pronoms objets directs et indirects

A. Vous avez le métier de Salavin; vous corrigez les textes. Répondez aux questions de votre supérieur selon l'exemple.

Exemple: Avez-vous lu les textes?
Oui, je les ai lus, je les ai étudiés, mais je ne les ai pas compris.

1. Avez-vous lu les lettres?

____

____

2. Avez-vous lu les instructions?

____

____

3. Avez-vous lu ce document?

____

____

4. Avez-vous lu cette lettre?

____

____

5. Avez-vous lu les passages en rouge?

____

____

6. Avez-vous reçu mon texte?

____

____

7. Avez-vous reçu le dossier?

____

____

B. Votre ami n'a pas reçu de vos nouvelles depuis longtemps. Il s'inquiète. Formulez la question; dans la réponse, utilisez un complément d'objet.

Exemple: téléphoner
question: *M'as-tu téléphoné?*
réponse: *Non, je ne t'ai pas téléphoné.*

1. écrire

____

____

2. appeler

____

____

3. essayer de me contacter

____

____

4. envoyer un télégramme

____

____

5. tâcher de me laisser un message

____

____

6. parler à ma mère

____

____

7. parler à mes amis

____

____

8. parler à mon propriétaire

____

____

9. penser à venir me voir

____

____

10. téléphoner à mon père

____

____

C. Vous préparez une réception pour fêter un anniversaire. Répondez aux questions de votre voisine en vous servant du pronom adverbial **en.**

Exemple: Avez-vous des serviettes?
Oui, j'en ai douze.

1. Avez-vous des serviettes?

____

2. Avez-vous des couverts?

____

3. Avez-vous une nappe?

____

4. Avez-vous des verres?

____

5. Avez-vous assez de vin?

____

6. Avez-vous des bougies pour le gâteau?

____

7. Avez-vous assez d'assiettes?

____

8. Avez-vous envoyé des invitations?

____

D. Votre chef vous parle au téléphone. Répondez à ses questions en employant un complément d'objet et un pronom adverbial.

Exemple: Est-ce que je vous ai donné les dossiers?
Oui, vous me les avez donnés.

Est-ce qu'on vous a parlé du nouveau projet?
Oui, on m'en a parlé.

1. Êtes-vous allé en France?

____

2. Avez-vous parlé à M. Ferland de nos conditions?

____

3. Avez-vous donné le contract à M. Ferland?

____

Nom ______________________ Classe ______________ Date ______________

4. Avez-vous offert un billet d'avion à M. Ferland?

____

5. Y a-t-il des problèmes? Non,

____

6. Avez-vous parlé à M. Ferland et à sa secrétaire de notre projet?

____

7. Avez-vous invité M. Ferland et sa secrétaire?

____

8. Pense-t-il participer à notre projet?

____

9. Est-ce qu'il vous a donné sa parole?

____

10. Êtes-vous content de sa réaction?

____

11. Est-il content de venir me voir?

____

12. Êtes-vous surpris de votre réussite?

____

E. Votre ami vous aide à faire votre valise pour un voyage d'affaires. Répondez-lui selon l'exemple.

Exemple: Voici tes chaussettes.
Donne-les-moi! ou *Ne me les donne pas encore!*

1. Voici ton pantalon.

____

2. Voici ton dossier.

____

3. Voici des journaux.

____

4. Voici des aspirines.

____

5. Voici tes chemises.

____

6. Voici tes cravates.

____

7. Voici ton stylo.

____

8. Voici ton passeport.

____

9. Voici tes chèques de voyage.

____

10. Voici la lettre d'invitation.

____

11. Voici des lettres de recommendation.

____

12. Voici des bonbons.

____

F. Votre ami vous donne des conseils pour un interview. Répondez-lui selon l'exemple.

Exemple: Dis au chef tes qualifications.
Je vais les lui dire.

1. Donne au chef ton C.V.

____

Nom ______________________ Classe ____________ Date ____________

2. Explique à la secrétaire tes besoins.

____

3. Dis tes conditions au chef.

____

4. Ne demande pas au chef un salaire trop élevé.

____

5. Offre au chef la possibilité de réfléchir.

____

6. Donne à la secrétaire des lettres de recommendation.

____

IV. Adjectifs possessifs

A. Un monsieur riche et égoïste montre ses affaires à son voisin. Écrivez les questions et les réponses de leur dialogue selon l'exemple.

Exemple: maison
Est-ce ta maison?
Oui, c'est ma maison.

1. piscine ______________________________
2. auto ______________________________
3. Renault ______________________________
4. femme ______________________________
5. enfant ______________________________
6. jardin ______________________________
7. fleurs ______________________________
8. arbres ______________________________
9. caravane ______________________________
10. bateau à voile ______________________________

B. Monsieur et Madame Bouchard divorcent. Ils font le partage de leurs biens. Écrivez leur dialogue.

Exemple: Madame: Qu'est-ce que nous allons faire de notre maison?
Monsieur: *Ce n'est pas notre maison, c'est ma maison car je l'ai achetée!*

1. Madame: Qu'est-ce nous allons faire de notre bateau?

   Monsieur: ____

   ____

2. Monsieur: Qu'est-ce que nous allons faire de nos meubles?

   Madame: ____

   ____

3. Madame: Qu'est-ce que nous allons faire de notre Renault?

   Monsieur: ____

   ____

4. Monsieur: Qu'est-ce que nous allons faire de nos autos?

   Madame: ____

   ____

5. Madame: Qu'est-ce que nous allons faire de nos investissements?

   Monsieur: ____

   ____

6. Monsieur: Qu'est-ce que nous allons faire de notre chat?

   Madame: ____

   ____

C. Un vendeur essaie de convaincre un client d'acheter une auto, mais le client n'est pas très réceptif. Complétez le dialogue suivant en employant des adjectifs possessifs.

Vendeur: __________ autos sont les meilleures du monde.

Client: Mais les autos de M. Martin me semblent bien aussi.

Nom ______________________ Classe ______________ Date ______________

Vendeur: Bah! __________ autos ne valent pas un clou!

Client: __________ méthode de publicité est peut-être moins bien que la vôtre. Que pensez-vous des autos des frères Simard?

Vendeur: Ne savez-vous pas que __________ autos coûtent bien plus cher?

Client: Peut-être... Je crois que vos voisins veulent vendre une auto.

Vendeur: Mais __________ auto n'est pas neuve.

Client: C'est pourquoi __________ voiture coûtera moins cher que les vôtres.

EXERCICES PRATIQUES

A. Lisez rapidement les annonces ci-dessous en essayant de les comprendre globalement, sans vous référer au dictionnaire. Ensuite, composez votre *curriculum vitae* en fonction du poste qui vous intéresse.

carrières et professions

Toutes les annonces publiées dans ces pages sous la rubrique Carrières et Professions sont assujetties à loi numéro 50. Les emplois annoncés s'adressent donc aux hommes et aux femmes.

POUR FAIRE PARAÎTRE VOS ANNONCES DANS CETTE PAGE

COMPOSEZ 694-3266
OU ÉCRIVEZ À CARRIERES ET PROFESSIONS
LA PRESSE, C.P. 252, MONTRÉAL, H3C 3J7

REPRÉSENTANT(E)S
TÉLÉPHONE CELLULAIRE

Nous cherchons présentement pour la région de Québec des représentant(e)s possédant une solide expérience, énergiques, motivé(e)s et ayant des aptitudes à communiquer au niveau des comptes commerciaux pour faire la mise en marché de cette nouvelle technologie de pointe.

Salaire intéressant et avantages complets.

Faire parvenir curriculum vitae à :

Dépt. 1474, Le Sommeil
424, Boulevard Charest
Québec, Qué. G1R 7P6

Club sportif de la rive-sud
recherche
PERSONNEL SPÉCIALISÉ

pour centre de conditionnement physique (Nautilus)
-- Diplôme exigé, BAC. spécialisé en éducation physique;
-- expérience;
-- connaissance théorique et pratique des appareils Nautilus.

Faire parvenir curriculum vitae avant le 31 juillet 1987, à:
CLUB SOLEIL
3, rue Buade
Québec G1R 4P8

Prière de ne pas se présenter au Club. Les candidat(e)s seront convoqué(e)s pour une entrevue au début du mois d'août.

COMPTABLE
(poste ouvert aux hommes et aux femmes)
Entreprise de service recherche un comptable ayant:
-- Diplôme universitaire;
-- Expérience d'au moins 2 ans en vérification;
-- Membre d'une corporation professionnelle.
RÉMUNÉRATION: Selon la compétance
Envoyer curriculum vitae au:
Dépt. 1466 - Sommeil
424, boulevard Charest
Québec G1R 7P5

La Corporation des concessionnaires d'automobiles de Drummondville inc.
recherche des
PROFESSIONNEL(LE)S DE LA VENTE
Le candidat idéal possède de l'expérience de vente dans un domaine autre que l'automobile, il est bilingue et dynamique.
Les postes à combler sont dans la région de Drummondville.
Des cours de formation seront offert aux candidats sélectionnés du 22 au 26 septembre.
Prière d'envoyer votre curriculum vitae avant le 22 juillet à:

LA CORPORATION DES CONCESSIONNAIRES D'AUTOMOBILES DE DRUMMONDVILLE INC.
23, rue Guérin
Drummondville, Qué.
H3C 4M8
À l'attention de madame Christiane Brunot

CURRICULUM VITAE

(nom) ______________________________

INFORMATIONS PERSONNELLES

Date de naissance ______________________________
No. Sécurité Sociale ______________________________
Citoyenneté ______________________________
Langue(s) ______________________________

SCOLARITÉ

Secondaire ______________________________
Universitaire ______________________________

HISTORIQUE D'EMPLOIS ET CARRIÈRE

De (dates) ______________________________
À ______________________________
Fonction ______________________________
Responsabilités: ______________________________
____

De (dates) ______________________________
À ______________________________
Fonction ______________________________
Responsabilités: ______________________________
____

INFORMATIONS SUR L'EMPLOI

Poste désiré ______________________________
Disponibilité ______________________________
Salaire ______________________________
Travail à l'extérieur ______________________________
Références 1) Nom: ______________________________
Titre: ______________________________
Entreprise: ______________________________
Adresse: ______________________________
Tel. bur.: (—) ______________________________
2) Nom: ______________________________
Titre: ______________________________
Entreprise: ______________________________
Adresse: ______________________________
Tel. bur.: (—) ______________________________

Autres références disponibles sur demande.

Nom ______________________ **Classe** ______________ **Date** ______________

B. Vous avez une fille qui a neuf ans. Il est temps qu'elle apprenne à danser. Étudiez l'horaire des cours ci-dessous et répondez aux questions suivantes.

ecole danse partout

stage d'ete 86

DU 28 JUILLET AÛ 15 AOUT
MODERNE ET CLASSIQUE
AVEC
LUCIE BOISSINOT ET GINELLE CHAGNON
2 ANNEES DE COURS EXIGEES

Danse Partout

tarif

1 classe de classique/jour (3 semaines) — 90 $

1 classe de moderne/jour (3 semaines) — 120 $

1classe de classique
1 classe de moderne
(3 semaines) — 200 $

a la classe : classique/jour — 7 $
moderne/jour — 9 $
inscription de 21 au 25 juillet — 5 $
informations — 525 - 4657

horaire

E86	LUNDI	MARDI	MERCREDI	JEUDI	VENDREDI
5h00 à 6h30	Classique	Classique	Classique	Classique	Classique
6h30 à 8h30	Moderne	Moderne	Moderne	Moderne	Moderne

- -

formule d'inscription

ecole danse partout

Nom ______________ Prénom ______________ Age ________
Adresse ______________ Code postal ________ Tél.: ________
Je désire participer au stage pendant ________ semaines, à raison de _____ classes par jour
Les cours choisis sont les suivants:
Classique (   )
Moderne (   )
Montant joint (50%) $ ________
Solde à payer (50%) $ ________ Signature ______________
Chèque ou mandat-poste à l'ordre de "Danse Partout", C.P. 3158, succ. St- Roch
Québec G1K 6Y2

1. Quand faut-il s'inscrire? Quels sont les frais de l'inscription?

2. Quel cours semble plus pratique pour une jeune fille? Pourquoi?

3. Pourquoi un cours de danse classique coûte-t-il moins cher qu'un cours de danse moderne?

4. Combien de cours par jour voulez-vous lui offrir?

5. Combien les trois semaines vont-elles vous coûter?

6. Remplissez la formule d'inscription.

Nom ______________________ Classe ______________ Date ______________

MOTS CROISÉS

Horizontalement

1. partie postérieure du pied
7. décorer, orner
8. pronom adverbial qui remplace *de*
9. remarquer
12. sorte de champignons
13. participe passé de *courir*
15. pronom adverbial
16. impératif d'*avoir*
17. le contraire de *séparés*
19. la saison où il fait chaud

Verticalement

2. participe passé d'*apercevoir*
3. jetterait
4. métal précieux jaune brillant
5. féminin de *neuf*
6. type, sorte
10. très fatigué
11. essaie avec audace, risque
14. abréviation Organisation des Nations Unies
18. partie de la négation

Leçon 3

ÉTUDE DU LEXIQUE

Recopiez la lettre suivante en employant une expression équivalente aux mots soulignés.

Ma chère maman,

Depuis un mois, je désire t'écrire pour te dire merci de ton aide à l'égard de Christophe; tu m'as vraiment été utile. J'aurais dû te demander ton opinion il y a déjà longtemps, mais je ne voulais pas t'ennuyer. Si j'ai fait des erreurs dans le temps à l'égard de mon fils, c'était par manque d'expérience; je voulais m'arranger seule avec lui et ne voulais pas d'ennuis avec mon mari qui croit qu'une femme détruit son ménage en reposant trop sur sa mère. Pourtant, j'ai parlé à mon employeur qui est d'un autre point de vue.

Tu te rappelles sans doute que Christophe ne travaillait pas à l'école. Il gênait tout le monde, fermait avec violence les portes et ainsi de suite. Il a tout à fait changé depuis que tu l'as aidé à faire ses rédactions préliminaires sur son essai "Qu'est-ce que c'est que la réussite?" À présent, il reçoit de bonnes notes à l'école et après son cours de maths, une file d'étudiants l'attend pour lui demander de l'aide dans leurs devoirs!

Encore une fois, je voudrais te dire merci.

Mille affections,

Isabelle

Nom ______________________________ Classe ______________ Date ______________

GRAMMAIRE

I. Le passé composé

A. Lisez le passage suivant qui raconte une bonne entrevue. Ensuite, racontez l'entrevue que vous avez eue.

L'entrevue se déroule très bien ...

1. quand je note l'heure exacte et le lieu.
2. quand j'arrive à l'heure.
3. quand je regarde les interviewers.
4. quand je leur fournis mon C.V.
5. quand je parle clairement.
6. quand je suis prêt à répondre aux questions.
7. quand j'évite les signes de nervosité.
8. quand je ne contredis pas les interviewers.
9. quand je me rends compte de leurs opinions.
10. quand je ne vante pas mes mérites.
11. quand je n'exagère pas mes qualités.
12. quand je remercie les interviewers à la fin de l'entrevue.

Mon entrevue s'est très bien déroulée

1. parce que j'ai noté l'heure exacte et le lieu.
2. parce que ______________________________
3. parce que ______________________________
4. parce que ______________________________
5. parce que ______________________________
6. parce que ______________________________
7. parce que ______________________________
8. parce que ______________________________
9. parce que ______________________________
10. parce que ______________________________
11. parce que ______________________________
12. parce que ______________________________

B. Lisez le passage suivant. Ensuite, racontez une mauvaise entrevue que votre ami a eue.

Vous avez une mauvaise entrevue

1. quand vous arrivez en retard.
2. quand vous déplaisez par vos vêtements.
3. quand vous devenez nerveux.
4. quand vous mettez un jean ou un noeud papillon.
5. quand vous fumez.
6. quand vous ne prenez pas le temps de vous renseigner.
7. quand vous mordez votre crayon.
8. quand vous ne vous asseyez pas droit sur votre chaise.
9. quand vous interrompez les interviewers.
10. quand vous ne remerciez pas les interviewers à la fin.
11. quand vous faites semblant de tout savoir.
12. quand vous leur écrivez une lettre trop enthousiaste par la suite.

Tu as eu une mauvaise entrevue

1. parce que tu ______________________________
2. ______________________________
3. ______________________________
4. ______________________________
5. ______________________________
6. ______________________________
7. ______________________________
8. ______________________________
9. ______________________________
10. ______________________________
11. ______________________________
12. ______________________________

Nom ______________________________ Classe ______________ Date ______________

II. L'imparfait

A. Lisez le passage suivant. Ensuite, décrivez comment vous imaginez la vie quand vos parents étaient jeunes. Employez les phrases du passage en faisant tous les changements nécessaires.

Maintenant, tout est différent.

1. On vit ensemble sans être mariés.
2. Tout le monde a des vidéos.
3. Tous possèdent une voiture
4. Les enfants vont à l'école en mini-bus.
5. Ils n'obéissent plus à leurs parents.
6. Ils prennent de la drogue.
7. Ils ont peur d'une guerre nucléaire.
8. L'air et l'eau sont pollués.
9. Les pluies acides gâtent les fleuves et les lacs.
10. Les médias dominent la population.
11. La vie semble plus dangereuse.
12. Mais, les femmes sont plus libres.

Quand mes parents étaient jeunes.

1. personne ______________________________
2. on n' ______________________________
3. tous ne ______________________________
4. les enfants n' ______________________________
5. ils ______________________________
6. ils ne ______________________________
7. ils n' ______________________________
8. ______________________________
9. ______________________________
10. ______________________________
11. ______________________________
12. ______________________________

B. Récrivez le passage suivant au passé.

Cet après-midi, je me sens en forme. Je ne suis pas du tout fatigué. Il fait du soleil et je veux aller à la plage mais la température n'est pas idéale. Pourtant, je n'ai pas envie de rester à la maison car c'est dimanche et d'habitude je sors le dimanche. Je pense que si je mets un gros chandail, je n'aurai pas trop froid.

Cet après-midi-là, je ____

____

____

____

____

____

____

____

C. Mettez le passage suivant au passé.

Nicolas dit qu'il n'a pas envie d'écrire une lettre, et que si on ne le laisse pas téléphoner, il ne veut pas de ce sale jeu de l'oie, que de toute façon, il en a un qui est très bien. Il pense que les lettres sont difficiles à écrire pour un petit garçon et que son père doit l'écrire pour lui, qu'il préfère téléphoner. Il trouve qu'il ne faut pas forcer les enfants à écrire des lettres quand ils ne songent qu'à s'amuser. Ce sont les adultes qui doivent s'occuper de ces choses-là.

____

____

____

____

____

____

____

____

____

____

Nom ______________________________ Classe ______________ Date ______________

III. Le passé composé et l'imparfait

A. Récrivez le passage suivant au passé. Employez le passé composé ou l'imparfait selon le cas.

Mon ami arrive à son entrevue à l'heure. Il est en cravate car il sait que la société où il désire travailler est conservatrice. Il est à l'aise car il a confiance en lui. Il ne mord pas ses doigts, ni ne mâche du "chewing gum". Les interviewers l'invitent à fumer mais il refuse. Il dit qu'il a apporté son *curriculum vitae* et il le leur donne. Il le leur explique en détail, mais il ne se vante pas. Les interviewers semblent impressionnés et lui demandent s'il veut déjeuner avec eux. Il accepte l'offre. Ils lui disent que c'est un travail aussi intéressant qu'il paraît, et qu'ils vont lui téléphoner bientôt. Après le déjeuner, il remercie ses hôtes et il part. Il est très optimiste en ce qui concerne cet emploi, et, en effet, il l'obtient.

Mon ami ____

____

____

____

____

____

____

____

____

____

____

____

____

____

B. Mettez le paragraphe suivant au passé en vous servant du passé composé ou de l'imparfait, selon le cas.

Pendant mon séjour à Paris, je rencontre une amie qui me dit qu'elle a des problèmes de communication avec son Jules. Je n'ai jamais fait la connaissance de son type, mais elle me parle tellement de lui que j'ai l'impression de le connaître. Elle me dit qu'il lui est difficile de discuter avec son ami parce qu'il est d'un égocentrisme rare. Je lui demande donc pourquoi elle continue de vivre avec lui. Elle répond qu'elle croit toujours l'aimer, mais que même l'amour a ses limites. Elle m'explique ensuite comment il se croit tout permis, et comment il projette son égoïsme sur elle. Elle me confie qu'elle arrive rapidement au bout de son rouleau avec ce type et qu'elle a l'intention de déménager aussitôt que possible. Je l'invite donc à loger chez moi car c'est une amie que j'affectionne tout particulièrement. Elle est adorable et nous nous entendons bien pendant quelques mois jusqu'à mon départ.

Nom ______________________ Classe ____________ Date ____________

C. Vous êtes à une soirée chez les Joli-Coeur. À un moment donné, Pierre-Marc et Sylvain arrivent. Décrivez la situation selon l'exemple.

Exemple: Je suis à la bibliothèque. Mes amis arrivent.
J'étais à la bibliothèque quand mes amis sont arrivés.

1. Je lis un livre. Pierre-Marc et Sylvain arrivent. ____________

   ____

2. Madame Joli-Coeur prépare les apéritifs. Les autres arrivent. ________

   ____

3. M. Joli-Coeur bavarde avec les premiers venus. Sylvain frappe à la porte.

   ____

4. M. Charbonneau discourit sur la loi 58. Mes amis entrent. ________

   ____

5. Le ministre des finances disserte sur la Baie James. On sonne à la porte.

   ____

   ____

6. La bonne sert des amuse-gueule. Je réponds à la porte. ________

   ____

7. Tous s'amusent beaucoup. Pierre-Marc et Sylvain font leur apparition.

   ____

D. Vous racontez des événements historiques à un groupe d'étudiants qui vient étudier au Québec.

Exemple: J'arrive au Québec en 1958. Maurice Duplessis meurt en 1959.
J'habitais au Québec depuis un an quand Maurice Duplessis est mort.

1. J'étudie le français depuis deux ans. Paul Sauvé succède à Duplessis.

   ____

2. J'habite sur la rue St-Denis depuis 1959. Jean Lesage prend le pouvoir en 1962. ______________________________

3. J'habite à la rue d'Auteuil depuis 1962. On crée l'Université du Québec en 1968. ____

4. Je travaille pour Hydro Québec depuis 1965. En 1967, de Gaulle lance son défi célèbre: "Vive le Québec libre!" ____________________________

____

5. J'étudie la politique québécoise depuis 1974. Le Parti Québécois arrive au pouvoir en 1976. ____

____

IV. Le plus-que-parfait

A. Répondez aux questions suivantes selon l'exemple.

Exemple: Qu'est-ce que vos parents avaient déjà fait quand vous êtes né?
Ils avaient déjà acheté une auto quand je suis né.

1. Qu'est-ce que vous aviez déjà fait quand vous êtes arrivé en classe? ________

____

2. Aviez-vous déjà reçu votre diplôme du lycée quand vous êtes entré à l'université? ____

____

3. Avais-tu déjà rendu ton cahier au professeur le jour où l'examen a eu lieu?

____

4. Aviez-vous déjà vu "Nuits blanches" quand je vous ai invité au cinéma?

____

5. Étions-nous déjà allés à la plage quand nos parents nous ont rendu visite?

____

B. Mettez le passage suivant au passé selon les règles du discours indirect.

Je reçois une lettre de mes parents dans laquelle ils disent "Nous avons décidé de partir en vacances la semaine prochaine." Ils ajoutent "Nous avons obtenu les visas nécessaires et nos passeports sont déjà arrivés." Ils finissent leur lettre en expliquant "Tout est prêt pour le départ. Il suffit d'acheter des chèques de voyage."

____

____

____

____

____

C. Finissez les phrases suivantes.

1. J'aurais été content, si ______________________
2. Nous aurions fait un gâteau, si ______________________
3. Mes parents auraient acheté une auto, si ______________________

   ____
4. Tu aurais réussi à ton examen, si ______________________
5. La maison Socque t'aurait engagé, si ______________________

   ____
6. Mon ami aurait fait une bonne impression, si ______________________

   ____

THÈME

Donnez l'équivalent en français des phrases suivantes.

1. It was raining here when you arrived from Paris. ______________________

   ____

   ____

2. He said he had already eaten. ______________________________

____

____

3. When my parents were 20 years old, they weren't afraid of a nuclear war. ________

____

____

4. I had been living in Montreal for a year when I met you. ______________

____

____

5. My boss told me that he was going to give me a raise. ________________

____

____

EXERCICES PRATIQUES

A. Vous habitez à Québec, et désirez ouvrir un compte en banque à la Caisse populaire. Composez la lettre qui correspond à la réponse de Monsieur Gaétan Sirois, Directeur de la Caisse. Joignez à votre lettre, le bordereau de dépot avec votre chèque pour $100 de la Banque Agricole du Canada.

actionnaire propriétaire d'une fraction du capital (des actions) dans une société anonyme.

entreprise coopérative société où les droits de chaque associé (coopérateur) à la gestion sont égaux et où le profit est reparti entre eux.

Nom ______________________________ **Classe** ______________ **Date** ______________

la caisse populaire de notre-dame de québec

19, rue des Jardins
Vieux-Québec (Québec)
G1R 4L4
(418) 694-1774

le 5 juillet 1986

6 av. St-Denis # 301
Québec
G1R 4B4

Cher membre,

Les dirigeants et le personnel de la Caisse populaire Notre-Dame de Québec sont heureux de vous accueillir. Votre adhésion fait de vous un membre à la fois actionnaire et client de l'entreprise coopérative.

Nous vous invitons à utiliser au maximum nos services professionnels d'épargne et de crédit. La confiance que vous nous témoignez est grandement appréciée, et nous souhaitons qu'elle continuera de s'accroître dans l'avenir.

N'hésitez pas à consulter notre personnel pour faire connaître vos attentes particulières.

Le directeur

Gaétan Sirois

GS/db

mouvement
des caisses populaires
des jardins

Monsieur,

Nom ______________________ Classe ______________ Date ______________

BORDEREAU DE DÉPÔT INTER-CAISSES

Date	N° d'indentification	Folio
Créditer (nom du membre) votre nom		N°
Nom de la caisse du membre écrivez le nom de la caisse		

Pièce d'identité
Carte multiservice desjardins
N° du membre inscrit sur la carte
N° d'identification inscrit sur la carte
N° du permis de conduire
N° d'assurance sociale
N° d'assurance maladie

Espèces	Dollars	cents
X 1		
X 2		
X 5		
X 10		
X 20		
X 50		
X		
Monnaie		
Total des espèces		

Fonds gelés	Identification ◀ Chèque ▶	Montant
5 jours	le numéro de	le
	votre compte à	montant
	la Banque	de
	Agricole	votre
	du Canada	chèque
9 jours		
	Total des chèques	
	Sous-total	
	Moins espèces reçues	
	Dépôt net	Le total

Signature du déposant (en présence du caissier) votre signature

BORDEREAU DE DÉPÔT INTER-CAISSES

Date	N° d'indentification	Folio
Créditer (nom du membre)		N°
Nom de la caisse du membre		

Pièce d'identité
Carte multiservice desjardins
N° du membre inscrit sur la carte
N° d'identification inscrit sur la carte
N° du permis de conduire
N° d'assurance sociale
N° d'assurance maladie

Espèces	Dollars	cents
X 1		
X 2		
X 5		
X 10		
X 20		
X 50		
X		
Monnaie		
Total des espèces		

Fonds gelés	Identification ◀ Chèque ▶	Montant
5 jours		
9 jours		
	Total des chèques	
	Sous-total	
	Moins espèces reçues	
	Dépôt net	

Signature du déposant (en présence du caissier)

espèces argent liquide (opposé aux chèques)

BANQUE AGRICOLE
DU CANADA

201

COMPTE RENDEMENT

Date 19

Payez à
l'ordre de

$

/100 Dollars

⑈201⑈ ⑆35071⑉026⑆

B. Un mois après avoir ouvert votre compte, vous faites un voyage à Ottawa. Vous découvrez que vous avez perdu votre carnet de chèques. Écrivez un télégramme à M. Sirois pour l'informer de bloquer votre compte à partir de la date où vous avez perdu votre carnet.

N° 698 **TÉLÉGRAMME**

Étiquettes

N° d'appel :
INDICATIONS DE TRANSMISSION

Ligne de numérotation

ZCZC

N° télégraphique

Taxe principale.

Timbre
à
date

Taxes
accessoires

N° de la ligne du P.V. :

Ligne pilote

Bureau de destination **Département ou Pays**

Total . .

Bureau d'origine	Mots	Date	Heure	Mentions de service

Services spéciaux demandés :
(voir au verso)

Inscrire en **CAPITALES** l'adresse complète (rue, n° bloc, bâtiment, escalier, etc...), **le texte et** la signature (une lettre par case **laisser une case blanche entre les mots**).

Nom et
adresse

TEXTE et éventuellement
signature très lisible

Nom et adresse de l'expéditeur :
Pour avis en cas de non remise. - Indications transmises et taxées sur demande expresse de l'expéditeur.

Nom ______________________ Classe ______________ Date ______________

C. Toujours inquiet de votre carnet, vous décidez de téléphoner à Monsieur Sirois. Étudiez le tableau de tarifs ci-dessous. En tenant compte des heures d'ouverture d'une banque, combien est-ce qu'un coup de téléphone de dix minutes vous coûtera d'Ottawa à Québec?

Communications interurbaines

Tarifs des communications au Québec et en Ontario

et dans les localités des Territoires du Nord-Quest desservies par Bell Canada

Communications de numéro à numéro sans assistance du téléphoniste	aucune réduction du lundi au vendredi de 8 h à 18 h le samedi, de 8 h à 12 h		moins 1/3 du lundi au vendredi de 18 h à 23 h	moins 2/3 tous les jours de 23 h à 8 h	moins 2/3 le samedi de 12 h à 23 h le dimanche* de 8 h à 18 h	moins 1/2 le dimanche* de 18 h à 23 h
Exemples de tarifs de Québec à	période initiale 1 minute	chaque minute supplémentaire				
Montréal	0, 69 $	0, 58 $	0, 46 $	0, 34 $	0, 34 $	0, 34 $
Ottawa (Ontario)	0, 72	0, 61	0, 48	0, 34	0, 34	0, 36
Rimouski	0, 71	0, 60	0, 47	0, 34	0, 34	0, 36
Toronto (Ontario)	0, 76	0, 64	0, 51	0, 34	0, 34	0, 38

	lundi	mardi	mercredi	jeudi	vendredi	samedi	dimanche*
8 h – 12 h	aucune réduction	aucune réduction	aucune réduction	aucune réduction	aucune réduction	aucune réduction	moins 2/3
12 h – 18 h	aucune réduction	aucune réduction	aucune réduction	aucune réduction	aucune réduction	moins 2/3	moins 2/3
18 h – 23 h	moins 1/3	moins 1/3	moins 1/3	moins 1/3	moins 1/3	moins 2/3	moins 1/2
23 h – 8 h	moins 2/3	moins 2/3	moins 2/3	moins 2/3	moins 2/3	moins 2/3	moins 2/3

*Les tarifs du dimanche s'appliquent aussi le 25 décembre et le 1er janvier.

____

____

D. Mettez par écrit ce que vous allez dire à M. Sirois.

Leçon 4

ÉTUDE DU LEXIQUE

A. Récrivez la lettre suivante en vous servant d'une expression équivalente aux mots soulignés.

1er octobre

Cher Théodore,

Heureusement, ton père s'est retiré de son travail depuis quelque temps et nous avons décidé de tirer avantage du temps libre en nous consacrant à notre divertissement préféré: le voyage. Tu aurais pu en tirer avantage aussi, donné que tu ne travailles pas pour le moment. Comment te décrire le bonheur extrême d'éteindre ma lampe ce soir en sachant que demain nous serons à Tahiti! Ton père a pratiqué son métier pendant 30 ans, un métier exigeant, il faut l'avouer, qui demande énormément, qui irrite beaucoup et qui pousse les hommes à l'extrémité de leurs forces. Il y a quelques mois, ton père avait des problèmes de respiration. Ce travail l'avait mis en mauvais état. Il faut être privé de vue pour ne pas le reconnaître! Mais la vie médiocre est derrière nous!

Ce sera agréable de regarder l'écume sur la mer au lever du soleil, de se sentir pénétré par l'air imprégné de sel, enfin d'être pleinement ouvert à la vie. Nous ne méprisons pas le repos comme certains qui ne vivent que pour travailler.

Demain, à cette heure-ci, nous serons dans un sauna dans l'hôtel le plus célèbre de l'île. La vapeur de ces bains finlandais fera disparaître nos ennuis passés et un bon bain de mer finira par nous stimuler pleinement.

Bons baisers,

Maman

Cher Théodore,

Nom ______________________ Classe ____________ Date ____________

B. Répondez aux questions suivantes.

1. De quel signe astrologique êtes-vous? ______________________

____

2. Comment décrit-on les gens de votre signe? ______________________

____

____

____

3. De quel signe est la personne que vous aimez? ______________________

____

4. Décrivez-la! ____

____

5. Vos signes sont-ils compatibles? ______________________

____

6. Que pensez-vous des horoscopes qu'on voit dans les journaux?

____

____

GRAMMAIRE

I. Le féminin des adjectifs et des noms

A. Lisez le portrait ci-dessous. Ensuite, faites un auto-portrait en employant autant d'adjectifs descriptifs que possible. Décrivez votre apparence aussi bien que votre caractère.

Marcel est un grand garçon brun aux yeux bleus. Comme il est sportif, il a un beau corps musclé et il en est fier. Un jour, il espère devenir acteur ou directeur d'une troupe de théâtre. Au niveau affectif, il est sensible, doux, affectueux et généreux. Il a tendance à être vif et ardent sans être jaloux ni envieux. Sur le plan intellectuel, il est doué; il est éveillé, capable et perspicace. S'il a un défaut, c'est qu'il est un peu vaniteux.

B. Faites la description physique et morale d'une camarade.

C. Faites la description physique et morale d'une personne que vous n'aimez pas.

Nom ______________________________ Classe ______________ Date ______________

D. *Vous êtes allé à une fête officielle.* Complétez le passage suivant avec la liste de mots ci-dessous. Faites l'accord entre les adjectifs et les noms qu'ils modifient.

français	hôtesse	beau
princesse	vieux	nouveau
Québécois	Français	Suisse
francophone	Belge	autre

L'______________ jour, je suis allé à une fête ______________, mais il n'y avait pas seulement des ______________; il y avait aussi des ______________, des ______________ et des ______________. On aurait dû dire une fête ______________! Bien sûr, tout le monde parlait ______________. C'était dans un ______________ hôtel dont les murs étaient couverts de ______________ affiches de la ______________ France. Il paraît que l'______________ était une ______________!

E. Vous allez visiter une ferme en Normandie. Faites une description de la ferme en énumérant les animaux que vous y avez vus. Y avait-il des chevaux? De quelle couleur étaient-ils?

____

____

____

____

____

____

____

____

____

____

F. Nommez trois substantifs qui sont toujours féminins, même quand ils se réfèrent à un homme.

____________________, ____________________ et ____________________

G. *Vacances à la mer.* Complétez le passage suivant en utilisant les mots de la liste suivante. Vous pouvez utiliser certains mots plus d'une fois. Faites les accords nécessaires.

couche-tard	vert clair	marin	jeune
demi	vacances	bleu marine	beau
travail	animal	meilleur	après-midi
demi-heure	snob	chic	lève-tôt

Quand j'étais petit, je passais de ________________ ________-________ à la plage. La mer était ________________ ________________ ou ________________ ________________ selon le temps. Comme j'étais un ________-________, j'arrivais une ________-________ avant les autres, à savoir, vers huit heures et ________________. Les ________-________ et les gens ________________ et ________________ arrivaient l'après-midi. Des ________________ ________________ se trouvaient partout et je ramassais de ________________ étoiles de mer. À présent, mes ________________ m'occupent et j'ai peu de temps pour les ________________. On me dit que je suis maintenant un ________________ homme ayant un ________________ avenir, mais pour moi, la ________________ époque de ma vie sera toujours mon enfance.

II. Le pluriel régulier et irrégulier

À bas les examens! Dans le paragraphe suivant, mettez tous les mots possibles au pluriel, noms, verbes et adjectifs.

En décembre, je vais avoir mon examen final. Cela me donne un mal de tête! Comme le ciel est gris en décembre, je compte aller à Cannes. Je ne suis pas matinal car j'aime aller à la discothèque faire le fou. Pendant l'après-midi, je vais lire le journal sur la plage.

Nom ______________________ Classe ______________ Date ______________

____

____

____

____

____

____

III. La place de l'adjectif

Visite au Mont-Saint-Michel. Récrivez le passage suivant en ajoutant les adjectifs ci-dessous aux mots soulignés. Faites l'accord entre l'adjectif et le nom qu'il modifie. Essayez d'employer tous les adjectifs de la liste. Vous pouvez employer deux adjectifs avec un même nom.

beau	charmant	vieux	épouvantable	pauvre
petit	mauvais	bref	grand	certain
long	ancien	joli	aigu	historique

L'année dernière, je suis allé au Mont-Saint-Michel. J'ai loué une chambre dans un quartier. Comme l'hôtel est renommé, il y avait une attente si l'on voulait y descendre. J'ai passé une journée à visiter l'abbaye car il faisait une chaleur! Je n'ai eu qu'un aperçu de la chapelle à cause de la foule! Quelle déception! Mon ami n'était guère plus heureux. Tout de même, j'ai retenu une idée des lieux.

____

____

____

____

____

____

____

____

____

IV. Le comparatif, le superlatif absolu et le superlatif relatif

A. *Djo et Momo.* Employez **plus** (+), **aussi** (=), ou **moins** (-) **que** dans les phrases suivantes, selon le cas.

Exemple: Momo / Djo / difficile (+)
Momo est plus difficile que Djo.

1. Djo / Momo / naif (+) ______________________________
2. Djo / Momo / idéaliste (+) ______________________________
3. faire / beau / Québec / pays chauds / à Noel (-) ______________________________

   ____
4. moustiques / piquer / Québec / pays chauds (-) ______________________________

   ____
5. douane / américain / canadien / embêtant (=) ______________________________

   ____
6. fumeurs / enfants braillards / irritants (=) ______________________________

   ____
7. hôtels / Québec / hôtels / pays chauds / coûter cher (=) ______________________________

   ____

   ____
8. Djo / Momo / réfléchir (+) ______________________________
9. Djo / Momo / être content de rentrer chez eux (=) ______________________________

   ____
10. bruit / couche-tard / affecter / sommeil / Momo / Djo (-) ______________________________

    ____

    ____

Nom ______________________________ Classe _______________ Date _______________

B. Employez les expressions **plus de** (+), **autant de** (=), ou **moins de** (-) + **nom** + **que** pour former les phrases.

1. Djo / Momo / faire / sacrifices (=) ______________________________
____
2. Djo / Momo / envoyer / cartes postales (+) ______________________________
____
3. Djo / Momo / avoir / accidents (-) ______________________________
____
4. Djo / Momo / avoir / talent épistolaire (+) ______________________________
____
5. Djo / Momo / avoir / plaisir (-) ______________________________
____
6. Djo / Momo / partir en vacances / avec / argent (=) ______________________________
____
7. Djo / Momo / avoir / piqûres de moustiques (=) ______________________________
____
8. Djo / Momo / avoir / imagination (+) ______________________________
____
9. Djo / Momo / sembler avoir / patience (-) ______________________________
____

C. Récrivez les phrases suivantes en ajoutant un superlatif absolu de la liste suivante.

infiniment	bien	atrocement	fort
tellement	très	terriblement	très, très

1. Djo trouve les formalités douanières plates. ______________________________
____

2. Il croit que les enfants sont braillards.______________________

____

3. Il considère les fumeurs impolis.______________________

____

4. Il estime le prix du taxi exorbitant.______________________

____

5. La course aux bagages est épuisante.______________________

____

6. Les coups de soleil sont douloureux.______________________

____

7. L'eau est sale. ______________________

8. Les piqûres de moustiques démangent.______________________

____

9. Momo fut chagrinée de voir son bâton de rouge à lèvres abîmé. __________

____

____

10. Finalement, tous deux se sont ennuyés. ______________________

____

D. Récrivez les phrases suivantes en employant **le (la, les) plus** (+), ou **moins** (-) **de**.

Exemple: je / passer / beau / vacances / vie / Provence (+)
J'ai passé les plus belles vacances de ma vie en Provence.

1. Djo et Momo / passer / mauvais / vacances / vie / pays chauds (+)

____

____

2. Momo / sembler / sympathique / couple (-) ______________________

____

3. Djo / être / littéraire / deux (+) ______________________

____

4. artistes / sembler / content / vacanciers (-) ______________________

____

5. Ce / être / affiches / original (+) ______________________

____

6. Ce / être / bon / journal / année (+) ______________________

____

V. Adverbes irréguliers

A. *Quelques écrivains en vacances.* Récrivez les phrases suivantes selon l'exemple.

Exemple: Les écrivains aiment bien les vacances studieuses.
Les écrivains aiment mieux les vacances studieuses.

1. Le reste de la population aime bien les divertissements. ______________

____

2. Pierre-Jean Rémy observe la vie en Provence, mais écrit à Paris.

____

____

3. Marie-Christine Barrault se sent mal au bord de la mer. ______________

____

4. Elle aime bien les grands voyages. ______________________

____

5. Ludmila Mikael se repose bien loin de Paris. ______________

____

6. Elle se sent mal en société. ______________________________

____

B. Transformez les phrases suivantes en employant **le mieux** ou **le plus mal,** selon le cas.

Exemple: Aurélia s'amuse bien.
Aurélia s'amuse le mieux de tous.

1. Dominique Fernandez s'amuse mal. ______________________________

____

2. Catherine doit nager bien. ______________________________

____

3. Aurélia profite bien de ses vacances. ______________________________

____

4. Elle se repose bien. ______________________________

5. Dominique travaillait mal quand il était avec sa famille. ______________________________

____

THÈME

Donnez l'équivalent en français des phrases suivantes.

1. I work well on the beach, better in town, but best in the mountains. ______________________________

____

2. English cooking is the worst I've ever eaten. ______________________________

____

3. She's the prettiest girl I've ever seen. ______________________________

____

4. She's the smartest person I've ever met. ______________________________

____

Nom ______________________ Classe ______________ Date ______________

5. I'm not a morning person; I'm a late sleeper. ______________________________

____

EXERCICES PRATIQUES

A. Étudiez l'horaire ci-dessous et répondez aux questions suivantes.

TGV = train à grande vitesse

SAINT-GERVAIS → ANNECY → PARIS

Nº du TGV		652	930	930	932	972	974	936	938	938	646
Restauration		■	■	■	■			■	■	■	
Saint-Gervais	D					14.03	15.36				
Sallanches	D					14.13	15.43				
Cluses	D					14.27	15.58				
Annecy	D		7.09	7.09	11.59	15.34	17.09	18.21	19.28	19.28	
Aix-les-Bains	▲▲ D		7.40	7.40	12.30	16.16	17.46	18.55	20.02	20.02	
Bourg-en-Bresse	▲ D		8.42	8.52	13.41						
Mâcon TGV	▲ D	6.50 ■	9.04	9.11	14.02						22.11 ■
Paris-Gare de Lyon	A	8.35	10.48	10.55	15.46	19.25	20.53	21.53	22.59	23.09	23.56
SEMAINE TYPE – Jusqu'au 20 décembre et à partir du 15 avril	Lundi au jeudi	★		★	○					○	
	Vendredi	★		★	○			★		○	
	Samedi		○		○						
	Dimanche		○		○			★		★	○
SEMAINE TYPE – Du 21 décembre au 14 avril	Lundi au jeudi	★		★	○			★		○	
	Vendredi	★		★	○			★		○	
	Samedi		○		○	○		○		○	
	Dimanche		○		○	○		★	★		○
JOURS PARTICULIERS	Mercredi 31 octobre	★		★	○			★		○	
	Jeudi 1er novembre			○	○			○		○	
	Vendredi 2 novembre			★	○						
	Samedi 3 novembre			○	○						
	Samedi 22 décembre		○		○			○		○	
	Dimanche 23 décembre		○		○			○		○	
	Lundi 24 décembre			★	○			★		○	
	Mardi 25 décembre			○	○			★		★	
	Dimanche 30 décembre			○	○	○		○		○	○
	Lundi 31 décembre			★	○	○		★		○	
	Mardi 1er janvier		○		○	○	★	★	★		
	Mercredi 2 janvier	★	★		○	○	★	★	○		
	Samedi 9 février		○		○	○	○	○		○	
	Dimanche 10 février		○		○	○	★	★	★		○
	Samedi 16 février		○		○	○	○	○	○		
	Dimanche 17 février		○		○	○	★	★	★		○
	Vendredi 22 février	★		★	○	○		★	○		
	Samedi 23 février		○		○	○	○	○	○		
	Dimanche 24 février		○		○	○	★	★	★		○
	Lundi 25 février	★		★	○	○		★	○		
	Samedi 30 mars		○		○	○	○	○		○	
	Dimanche 31 mars		○		○	○	★	★	★		○
	Dimanche 7 avril			○	○						

○ TGV sans supplément.
★ TGV avec supplément.

1. Vous passez vos vacances de Noel à Annecy. Un ami arrive à Paris, le mercredi 26 décembre à 16 heures, et vous donne rendez-vous à la Gare de Lyon. À quelle heure faut-il partir d'Annecy pour arriver au rendez-vous à l'heure? ______________________________

____

2. Faut-il prendre un casse-croûte avec vous ou pourriez-vous déjeuner dans le train? ______________________________

____

3. Faut-il payer un supplément? ______________________________

____

4. Combien de temps faudra-t-il attendre votre ami si votre train arrive à l'heure?

____

____

Nom ______________________ Classe ____________ Date ____________

B. Vous avez maintenant $3000 dans votre compte à la Caisse populaire de Notre Dame de Québec. Vous désirez en retirer la somme nécessaire pour faire le tour de France. Étudiez la publicité qui suit et répondez aux questions. Lisez rapidement chaque itinéraire en essayant d'en saisir le sens global sans vous référer à votre dictionnaire.

1. Combien d'argent faut-il retirer de votre compte? ____________________

____

2. Est-ce que $2079 seront assez? Pourquoi? ____________________

____

3. De quelle ville partez-vous? ____________________

____

4. Si vous êtes spécialiste en histoire québécoise, quelle ville va vous intéresser le plus? Pourquoi? ____________________

____

____

____

5. Vous aimez aussi le bon vin et le champagne. Quelles villes allez-vous apprécier tout particulièrement? Pourquoi? ____________________

____

____

____

6. Qu'est-ce que vous allez voir à Paris? ____________________

____

7. Quelle ville les sportifs vont-ils préférer? Pourquoi? ____________________

____

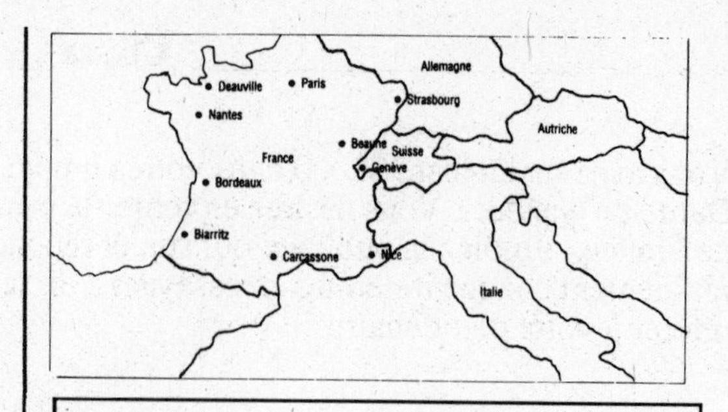

22 JOURS
Mille paysages, mille visages. Imaginez-vous aux belles heures de la vie de château en suivant la Loire, quelques kilomètres et vous passez de la mer à la montagne, quelques autres kilomètres et ce sera la verte campagne qui vous captivera. Prenez un cidre en Normandie, un pastis dans le sud. Reposez-vous sur les plages, faites une partie de boules avec les habitants . . .

ITINÉRAIRE

JOUR 1 **Montréal/Paris**
Rendez-vous à Mirabel pour le vol vers Paris où votre animateur vous attend.

JOUR 2 **Paris**
Un peu de détente avant de vous lancer à la découverte de la capitale française: les quais de la Seine, la Tour Eiffel, Montmartre, le Sacré-Coeur . . .

JOUR 3 **Paris/Rouen**
En route pour la Normandie, son cidre, ses fromages, son architecture typique et sa campagne verdoyante.

JOURS 4-5 **Rouen/St-Malo**
Via Deauville, célèbre pour son casino et le Mont-St-Michel, arrivée à St-Malo, ville que Jacques Cartier quitta en 1534 pour venir découvrir le Québec.

JOURS 6-7 **St-Malo/Nantes**
Vous traversez la Bretagne. Nantes vous offre son château, sa cathédrale et de nombreux musées. La région de la Loire vous fera revivre le Moyen-Âge par ses paysages et son architecture.

JOURS 8-9 **Nantes/Bordeaux**
La région bordelaise vous offre des paysages de vignobles magnifiques. Vous dégusterez des vins provenant de crus internationalement reconnus.

JOURS 10-11 **Bordeaux/Biarritz**
Vous êtes dans les Landes. Avez-vous déjà entendu parler du gavage des oies, des bains de boue et de sources thermales, des immenses forêts de pins landaises?

JOUR 12 **Biarritz/Carcassonne**
La cité médiévale est située sur un éperon au sud de la ville basse dont elle est séparée par le cours de l'Aude. La ville se prête bien aux histoires rocambolesques de portes secrètes et de souterrains cachés . . .

JOURS 13-14
Carcassonne/Nîmes
Élégante, très vivante, Nîmes par ses admirables monuments et vestiges romains, est aussi une grande ville d'art. Chaque année, le jardin de la Fontaine, les arènes et le Temple de Diane servent de cadre à des représentations touristiques.

JOUR 15 **Nîmes/Grenoble**
Quand vous verrez les magnifiques paysages alpins, vous comprendrez pourquoi Grenoble fut la ville-hôte des Jeux Olympiques d'hiver en 1968.

JOUR 16 **Grenoble/Bourg-en-Bresse**
Petit crochet par Genève, en Suisse. En passant, vous pourrez vous arrêter au lac d'Annecy réputé pour la limpidité de son eau.

JOUR 17 **Bourg-en-Bresse/Mulhouse**
Vous traversez les vignobles de Bourgogne, Beaune, Nuits-St-Georges . . .

JOURS 18-19
Mulhouse/Strasbourg
La route des vins d'Alsace: Colmar, Riquewihr ... Ville universitaire, Strasbourg possède aussi un cachet historique remarquable. Le centre-ville piétonnier et les environs de la cathédrale sont d'une beauté très pittoresque.

JOURS 20-21 **Strasbourg-Paris**
Reims, sur la route de Paris, mérite une petite halte. Cette ville est la cave à champagne du monde: Taittinger, Mum's, la Veuve-Cliquot ... ils y seront tous.

JOUR 22 **Paris/Montréal**
Vol de retour vers Montréal.

Conditions

Circuit Club-Expo

Groupe: 8 voyageurs

Transport:
- avion Montréal/Paris
- minibus

Logement: hôtels, petits déjeuners

Dates/Prix:
28 juin au 19 juillet $2079.
12 juillet au 2 août $2079.
9 au 30 août $2079.
6 au 27 septembre $2079.
incluant le transport aérien, le transport terrestre et le logement décrits ci-dessus, les taxes d'aéroport et d'hôtels et les services d'un animateur.

À prévoir: les repas ($20. par jour), les activités et visites ($200.) et les dépenses personnelles.

Prime assurance-vacances: $84.00

Nom ______________________ Classe ______________ Date ______________

C. Remplissez votre bordereau de retrait selon les directives pour la somme qu'il vous faut.

RETRAIT AU GUICHET

	FOLIO numéro
REÇU DE LA CAISSE Notre Dame de Québec	DATE
LA SOMME DE — montant — ___/100 DOLLARS	$ montant en chiffres
CAPITAL SOCIAL ☐ ÉPARGNE AVEC OPÉRATIONS ☐ ÉPARGNE STABLE ☐ ÉPARGNE À TERME ☐	SIGNATURE DU MEMBRE (EN PRÉSENCE DU CAISSIER) Signature

RETRAIT AU GUICHET

	FOLIO
REÇU DE LA CAISSE	DATE
LA SOMME DE ___________ ___/100 DOLLARS	$
CAPITAL SOCIAL ☐ ÉPARGNE AVEC OPÉRATIONS ☐ ÉPARGNE STABLE ☐ ÉPARGNE À TERME ☐	SIGNATURE DU MEMBRE (EN PRÉSENCE DU CAISSIER)

Leçon 5

ÉTUDE DU LEXIQUE

Vivre en ville ou dans la banlieue? Lisez le passage suivant. Ensuite, récrivez-le en substituant des mots équivalents à ceux qui sont soulignés.

Je suis à un moment décisif de ma vie. J'ai l'idée de changer mon expérience de tous les jours. C'est incroyable ce qu'on peut supporter: L'espace de la vie est court, mais on le rend encore plus court, si on ne réfléchit pas de temps en temps. Pour ce faire, il faut être libre. Un appartement à Paris, c'est coûteux, alors, j'habite en banlieue. Le parcours de tous les jours m'épuise. Sur la route, il y a des encombrements infinis et je m'en tire avec difficulté. Quand je suis dans ma voiture, je presse le klaxon pour informer les autres qu'il faut avancer. Alors, ça fait un bruit épouvantable, car, bien sûr, tous klaxonnent en même temps. Il est presque inévitable de devenir agressif pendant les heures d'affluence. On se glisse à travers les espaces vides, mais l'autoroute est si remplie et nous sommes tellement comprimés qu'il est presque impossible de bouger. Comme l'air sent mauvais et, qu'on est aveuglé par le soleil du matin, on est assurément de mauvaise humeur en arrivant au travail. Au milieu de l'hiver, c'est encore pire, car j'ai une voiture dont on peut enlever le toit, et par conséquent, le chauffage marche médiocrement. Au printemps, on roule dans la boue laissée par la neige. Je travaille à peu près neuf heures par jour, et vers 18h, il faut faire le même parcours à l'envers. Ce n'est pas une vie agréable et elle provoque en moi une colère sourde. D'autre part, la banlieue n'est pas la campagne! Je préférerais voir une prairie de mes fenêtres au lieu de voir travailler mon voisin dans son garage!

Je suis

Nom ______________________ Classe ______________ Date ______________

B. Vous répondez à une lettre d'un ami et vous lui parlez de vos ennuis. Complétez les phrases suivantes avec un mot de la liste ci-dessous.

écran   robinet   ému   tonnerre   lavabo   magnétoscope

J'ai reçu ta lettre qui m'a beaucoup ______________. Moi aussi, je viens d'acheter un ______________ pour enregistrer mes programmes préférés. Il faut pourtant que je remplace la télé car le chat l'a renversée et l'______________ s'est cassé. Pendant l'orage, le ______________ l'a effrayé.

D'autre part, il va falloir faire réparer le ______________ qui n'arrête pas de couler. Je n'ai pas encore assez d'argent pour remplacer le ______________ qui est fêlé. Que de dépenses quand on déménage!

GRAMMAIRE

I. Le futur simple et le futur antérieur

A. Vous êtes au lit et vous planifiez le jour à venir. Remplacez le futur proche par le futur simple.

Demain, je vais me lever tôt. Je vais prendre mon petit déjeuner à 8h, et je vais partir avant 9h. Je vais sauter dans ma voiture et je vais aller à la banque. Ensuite, je vais faire le plein car je vais aller à Québec qui est loin de chez moi. Il va falloir conduire vite, mais il va y avoir beaucoup de voitures sur la route. Je vais savoir tout de suite si je vais arriver à la frontière avant la tombée de la nuit. Je vais être content de trouver un petit hôtel pas cher au bord de la route. Je vais appeler mon ami dès mon arrivée et je vais le voir aussitôt que possible. Il va pouvoir me voir car il va être en congé demain. Je vais lui rendre visite tout de suite. Je vais passer quelques mois à Québec et je vais envoyer beaucoup de cartes postales à mes amis. Je vais donc en recevoir beaucoup aussi. Je vais offrir des cadeaux à mes amis au Québec, et ils vont venir me voir l'année prochaine chez moi. Il va falloir prendre des chèques de voyage. Il va pleuvoir en été et il va neiger beaucoup en hiver. Il va donc falloir mettre des pneus de quatre saisons sur ma voiture. Je vais avoir beaucoup de plaisir à retrouver mes amis au Québec.

B. *Vous projetez un voyage au Québec.* Complétez les phrases suivantes en employant le futur. Référez-vous au passage précédent pour des idées.

Exemple: Quand nous nous serons levés, nous....
... prendrons notre petit déjeuner.

1. Quand nous aurons pris notre petit déjeuner, nous ____________________
____

2. Quand nous aurons sauté dans notre voiture, nous ____________________
____

3. Après avoir fait le plein, nous ____________________________
____

Nom ______________________ Classe ____________ Date ____________

4. Après être arrivés au Québec, nous ______________________

____

5. Après avoir appelé notre ami, nous ______________________

____

6. Quand nous serons au Québec, nous ______________________

____

7. L'année prochaine, mes amis québécois ______________________

____

8. En été, au Québec, ______________________

____

9. En hiver, ______________________

____

10. Au bout de quelques mois, nous ______________________

____

C. Vous planifiez un voyage en voiture. Transformez les phrases suivantes selon l'exemple.

Exemple: Si j'achète cette voiture, je serai fauché (*sans argent*).
Quand j'aurai acheté cette voiture, je serai fauché.

1. Si je reçois mon chèque, je partirai. ______________________

____

2. Si j'arrive au Québec, je t'appellerai. ______________________

____

3. Si j'envoie des cartes, je recevrai des réponses. ______________________

____

4. Si je pars, je serai triste. ______________________

____

5. Si je vais à la banque, j'aurai assez d'argent pour manger au restaurant.

____

6. Si tu me contactes, tu sauras quand je pourrai te voir. ________________

____

7. Si mes amis m'écrivent, je leur répondrai. ________________

____

D. Décrivez votre vie dans dix ans du moment présent.

Quand j'aurai 30 ans, ma vie sera différente. Je ________________

____

____

____

____

____

____

E. Décrivez la vie au 21e siècle. Qu'est-ce qu'on fera, qu'est-ce qui existera qui n'existe pas maintenant?

____

____

____

____

____

____

____

____

Nom ______________________________ Classe ______________ Date ______________

II. Le conditionnel et le conditionnel passé

A. Une personne de 50 ans décrit sa vie. Récrivez le passage du point de vue d'une jeune personne qui espère mener le même genre de vie à 50 ans. Vous emploierez donc le conditionnel.

J'ai une vie idéale et j'en suis content parce que je sais vivre. Je mène une vie où les loisirs sont remplis d'activités enrichissantes, telles que la lecture et les arts. Je peux faire ce que je veux faire. Je n'ai pas beaucoup d'argent mais mes amis, que je vois souvent, sont nombreux. Je vais souvent à Paris et je fais des visites à tout le monde. On me reçoit à bras ouverts car on m'aime. À Paris, je me tiens au courant en lisant tout ce qui tombe sous mes mains. J'achète *le Monde, le Figaro* et plusieurs magazines que je lis avec intérêt. Je me lève quand j'en éprouve le désir et me couche quand je suis fatigué. Je pars à la montagne ou à la plage pour quatre semaines chaque année. Je me détends ainsi et me renouvelle. Je rencontre souvent des gens intéressants quand je voyage. En rentrant, je me sens plein d'énergie.

____

____

____

____

____

____

____

____

____

____

____

____

____

____

____

B. Répondez aux questions suivantes. Servez-vous de votre imagination.

1. Si vous aviez le choix, où iriez-vous à Noël? ______________________

____

2. Si vous étiez en France, qu'est-ce que vous feriez? ________________

____

____

3. Si vous aviez le choix, où habiteriez-vous? ______________________

____

4. Si vous pouviez choisir, quelle sorte de maison achèteriez-vous? ________

____

____

5. Si vos parents pouvaient choisir, où iraient-ils en vacances? __________

____

6. Faites la description de votre vie idéale en employant le conditionnel.

____

____

____

____

____

____

____

C. Employez le conditionnel pour être poli dans les situations suivantes.

1. Vous demandez à un passant de vous indiquer un bon restaurant. ________

____

2. Vous voulez inviter votre professeur à dîner. ____________________

____

Nom ______________________________ Classe ______________ Date ______________

3. Vous demandez à un inconnu, s'il sait quelle heure il est. ______________

____

4. Vous demandez à un camarade s'il peut vous aider. ______________

____

D. Vous racontez à un ami une conversation que vous avez eue dans un autobus. Mettez le passage au passé. Attention à la concordance des temps.

Je fais la connaissance d'un étudiant dans l'autobus. Il me parle de son avenir en me disant qu'il ira loin dans la vie. Il dit qu'il fera des choses importantes, qu'il verra le début du 21e siècle, qu'il saura mener le pays vers la gloire, qu'il pourra réaliser les espoirs du peuple. Je lui réponds qu'il sera peut-être déçu quand il se rendra compte du nombre de jeunes idéalistes dans le monde qui n'ont jamais rien fait de pratique, que le monde continuera comme il est et que dans une démocratie, il faut travailler en équipe, qu'il n'y a plus de héros. Il me répond que je serai surpris dans quelques années. Je me demande s'il a raison.

____

____

____

____

____

____

____

____

____

____

____

____

____

____

E. Finissez les phrases suivantes.

1. S'il avait plu aujourd'hui, je ______________________________

____

2. Si tu m'avais écrit, ______________________________

3. Si j'avais reçu une mauvaise note, ______________________________

____

4. Si quelqu'un m'avait envoyé $100, ______________________________

____

5. Si je n'avais pas fini mes études secondaires, je ______________________________

____

6. Si vous n'aviez pas été malade hier soir, ______________________________

____

EXERCICES PRATIQUES

A. Étudiez les annonces à la page suivante.

Si vous aviez besoin d'une bonne voiture qui ne coûtait pas trop cher, quelles voitures de la liste suivante vous intéresseraient? Pourquoi? Quelles seraient les considérations les plus importantes?

____

____

____

____

____

____

____

____

Nom ______________________ Classe ____________ Date ____________

VÉHICULES MOTORISÉS

605 AUTOS À VENDRE

FORD Elite 1975, V8, automatique, 300$, Tél. 628-3663.

FORD Fairmont 1979, 6 cylindres automatique, 1,600$, 831-6020.

FORD LTD 1983, 6 automatique, Am-Fm cassettes, finition de luxe, porte bagages, régulateur vitesse, essuie-glace intermittent, 65,000m., 832-0686.

GRAND SPECIAL, Signet 1984, stock 556A, très propre 3,400$
Autos Viel 522-5667

HONDA 1983, familiale, 5 vitesses, radio AM-FM cassettes, toit ouvrant, 33,400km, 6,300$, très propre, 831-9476.

Honda Accord LX
1983, 7,000$, R. Côté autos 659-3672.

HONDA Accord 82, 30,000km, automatique, toit ouvrant, AM-FM, 8 pneus, A-1, 6,975$, 522-8111

HONDA Accord LX 1983, manuelle, 4 portes, 51,000km, gris-plomb, bonne condition, 8,200$ 626-8513

HONDA Accord LX '82, 4 portes, manuelle, 50,000km, stéréo, roues mag, impeccable. 627-3844

HONDA Berline Civic, 1982, manuelle, très propre, dame propriétaire, 831-6936.

HONDA Civic 1979, 86,600km, manuelle, jour Ghislaine 524-8370.

HONDA Civic 78, 5 vitesses, très propre, 88,000km, 950$, 831-8440

HONDA Civic GL Berline 1983, 4 portes, gris métallique, garantie transférable, 658-2966 ou 692-0487.

HONDA Prelude 1983, manuelle, 5 vitesses, 60,000km, garantie prolongée 100,000km, excellente condition, 9,600$, 831-5491.

HONDA Prelude '83, 13,000km, impeccable, dame proprio 688-9583

HORIZON 1979, très bon état, système de son haute qualité, 4 pneus d'hiver radiaux, 1,800$, discutable, 844-4492 ou 659-2016.

HORNET 1977, 6, automatique, 258 pc, 38,000 milles, 450$, 848-2347.

INNOCENTI, 1984, bleue, 5 vitesses, 6000km, très propre, pneus d'hiver, 4,600$, Tél. 658-7279.

INNOCENTI 84, femme proprio, encore sous garantie, 653-9478

JETTA 1984, Turbo, diesel, GL, air conditionnée, équipée, cause auto fournie, 529-9373.

LADA 1983, 1600cc, très propre.
Auto Viel 522-5667

LADA, 1981, 500$,
871-2400

LINCOLN Continental 1977, blanc, coupé Crown, toit ouvrant, tout équipée, impeccable, 6,000$. En tout temps 527-2791.

MAZDA GLC 1980, bon état, 2,500$, Tél. 832-6824.

MAZDA RX-7 1981, comme neuve, 5 vitesses, toit ouvrant, roues mag, charcoal, 7,900$, 653-7791.

MERCURY Capri 1979, 80,000km.
Tél. 839-1194

MERCURY Zephir, Z7, 1980, automatique, 98,000km., 3,200$, sur semaine seulement 659-5068.

MGB 1971, très bon état, 73,000 milles, 2,200$, 525-6513, 525-8984.

MONTE Carlo 1976, bon état, 2 portes, 600$, 667-1171.

NISSAN 1983, 4 portes, am-fm, garantie transférable, 658-9073

NISSAN Pulsar 1984, 5 vitesses, 38,000km, garantie prolongée, 7,500$, 663-2694

PLYMOUTH Voyageur SE 1985, 20,000km, 13,600$. Tél. 843-2034.

PONTIAC 6000 STE, 1983, gris, 45,000km, état neuf, acheteur sérieux seulement, prix à discuter 1-387-5051.

PONTIAC 2000 1983, Station-Wagon, 51,000km, bien équipé, parfaite condition, 656-0721

PONTIAC 1976, peinture originale, équipée, à voir 2,350$, 627-4195

PONTIAC Catalina 1976, occasion unique, 23,000mi, 656-9920.

PONTIAC Grand Prix 1980, bon état, 3,700$, 659-6676.

PONTIAC Laurentien 1978, 64,000km, négociable, 626-5839.

PONY 1985, maintenant disponible, à partir de $6,345. plus transport et préparation.
M. Lessard Ltée 623-5471

PORSCHE 914, 1974, 2 L, 78,000mi, jamais sortie l'hiver, 8,500$, J. Roy 831-1893, soir 831-3757

PORSCHE 944, 1983, parfait état, 66,000km, 25,000$, Bur: 628-2655, rés: 658-3442.

RABBIT 1984, 5 vitesses, très propre. Canardière Autos 648-1075.

RABBIT 1976, réparation nécessaire carrosserie 88,000m. 659-1710

RABBIT diésel 1977, excellente condition, prix modique.
TEL. 524-3605, 524-8437

SCIROCCO 1979 SE, 127,000km, 4,000$, très propre, 688-0079

SIGNET 1984, bas millage, très propre, Autos Viel 522-5667

SIGNET 1984 1500cc, bas millage, très propre, Autos Viel 522-5667

SIGNET 1984, très propre, 1500cc, Autos Viel 522-5667

SIGNET 1984, très bas millage, très propre, Autos Viel 522-5667

SPIRIT DL, 1979, 6 cylindres, 54,000km., 4 Michelin, 4 vitesses, impeccable, 2,900$, 667-7535.

SUPRA 1981, 82,000km., équipement complet, 8,000$, 622-1845.

TERCEL 1983, 3700km, avec garantie prolongée, 5 vitesses, 6,800$ ou échange pour petit Pickup même millage, 626-6905.

THUNDERBIRD 1978, très propre, en bon état. Tél. 667-9882.

TOYOTA Celica 1979, manuelle, prix à discuter. Tél 659-5703.

TOYOTA Celica 1982 noire, 90,000km, superbe, 832-4234

TOYOTA Corolla 1983, servo-frein, servodirection, 45,000km, très propre, 6,600$, 871-7914.

TOYOTA CRESSIDA
1985, 2,000km., garantie prolongée, voiture fournie, 828-9666.

TOYOTA SR5, 1800 cc, 1981, coupé sport, blanc, avec mags, 100,000km, 4,400$, 659-7939.

B. Si vous aviez reçu la contravention ci-dessous, qu'est-ce qu'il vous aurait fallu faire? Où aurait-il fallu envoyer votre chèque?

LA VILLE DE
québec
CANADA, Province de Québec

CONTRAVENTION

Plaque / *Licence* | Province / *State*

10$ 12$ 15$ 17$ 20$ 25$ 30$ 32$ 40$ 50$ Autres

Code* | Autre infraction / *Other violation* | N° parcomètre / *Meter No.*

Enseigne / *Sign*

Face / *Facing* 1 · Près / *Near* 2 · Opposé / *Opposite* 3 · Inters. / *Inters.* 4 · Arrière / *Back* 5 | Côté / *Side* E · O / W · N · S

Endroit / *Location*
N° ______ Rue / *Street* ______
Angle:

An / *Year* | Mois / *Month* | Jour / *Day* | **Durée de l'infraction / *Time of infraction*** De / *From* h min À / *To* h min

N° matricule / *Badge No.* | Équipe / *Div.* | District | Par / *Per*

Remorqué par / *Towed by*

VOIR AU VERSO -- * *SEE OVERLEAF

S.V.P. Faire chèque ou mandat à l'ordre de la Ville de Québec.

IMPORTANT
Veuillez utiliser l'enveloppe ci-jointe
AFFRANCHIR SUFFISAMMENT

Timbre
Stamp

COUR MUNICIPALE
CENTRALE DE POLICE
275, RUE GIGNAC
PARC VICTORIA
QUÉBEC

GIK2L3

____

____

____

____

____

Nom _______________ Classe _______________ Date _______________

____

____

____

____

____

C. Vous devez aller en auto de Montréal à Chicoutimi qui est dans la région du Lac St-Jean, Saguenay. Étudiez les prévisions météorologiques pour vendredi et répondez aux questions suivantes. Essayez d'en comprendre le sens global sans vous référer au dictionnaire.

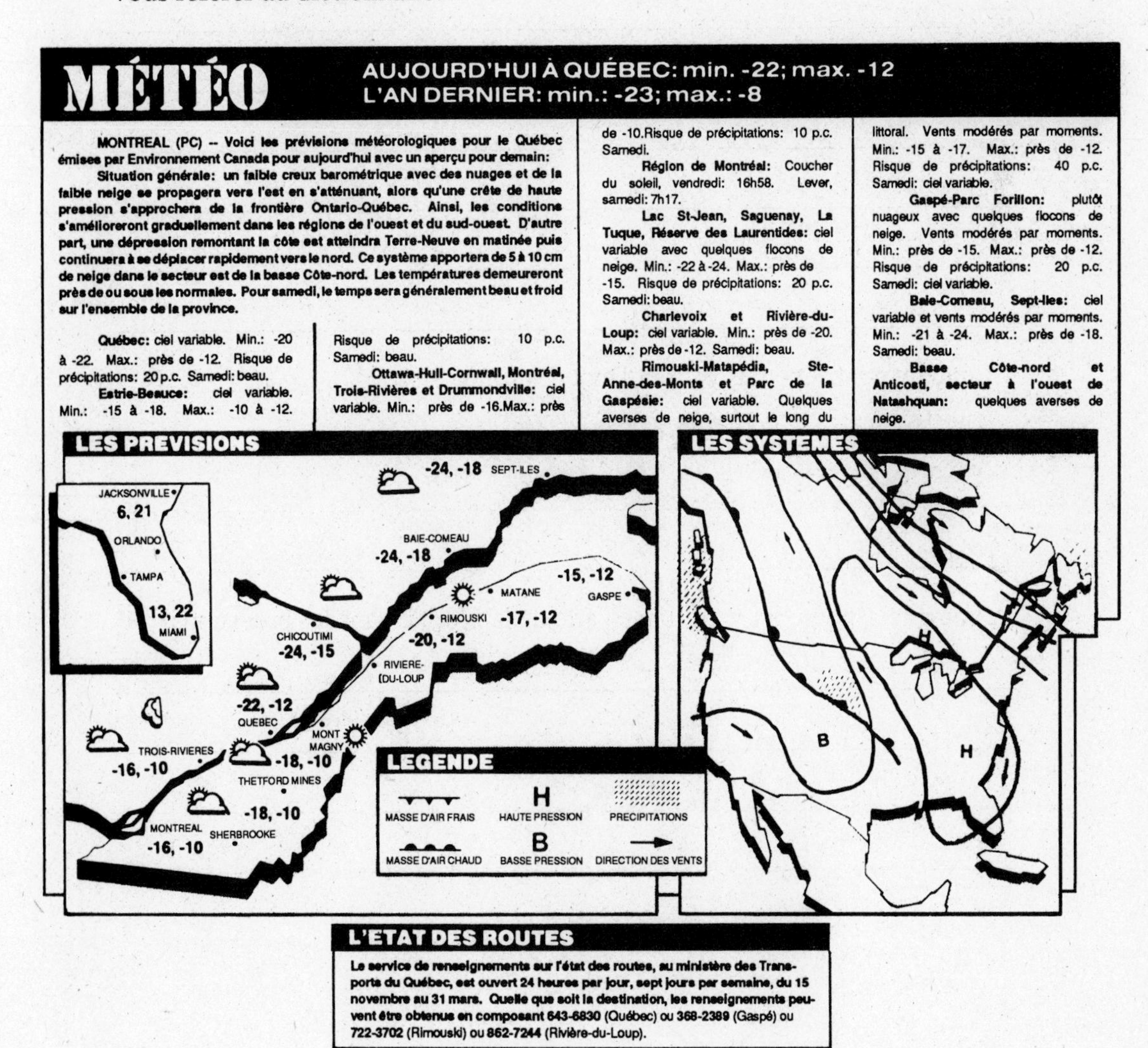

MÉTÉO

AUJOURD'HUI À QUÉBEC: min. -22; max. -12
L'AN DERNIER: min.: -23; max.: -8

MONTREAL (PC) -- Voici les prévisions météorologiques pour le Québec émises par Environnement Canada pour aujourd'hui avec un aperçu pour demain:

Situation générale: un faible creux barométrique avec des nuages et de la faible neige se propagera vers l'est en s'atténuant, alors qu'une crête de haute pression s'approchera de la frontière Ontario-Québec. Ainsi, les conditions s'amélioreront graduellement dans les régions de l'ouest et du sud-ouest. D'autre part, une dépression remontant la côte est atteindra Terre-Neuve en matinée puis continuera à se déplacer rapidement vers le nord. Ce système apportera de 5 à 10 cm de neige dans le secteur est de la basse Côte-nord. Les températures demeureront près de ou sous les normales. Pour samedi, le temps sera généralement beau et froid sur l'ensemble de la province.

Québec: ciel variable. Min.: -20 à -22. Max.: près de -12. Risque de précipitations: 20 p.c. Samedi: beau.

Estrie-Beauce: ciel variable. Min.: -15 à -18. Max.: -10 à -12. Risque de précipitations: 10 p.c. Samedi: beau.

Ottawa-Hull-Cornwall, Montréal, Trois-Rivières et Drummondville: ciel variable. Min.: près de -16. Max.: près de -10. Risque de précipitations: 10 p.c. Samedi.

Région de Montréal: Coucher du soleil, vendredi: 16h58. Lever, samedi: 7h17.

Lac St-Jean, Saguenay, La Tuque, Réserve des Laurentides: ciel variable avec quelques flocons de neige. Min.: -22 à -24. Max.: près de -15. Risque de précipitations: 20 p.c. Samedi: beau.

Charlevoix et Rivière-du-Loup: ciel variable. Min.: près de -20. Max.: près de -12. Samedi: beau.

Rimouski-Matapédia, Ste-Anne-des-Monts et Parc de la Gaspésie: ciel variable. Quelques averses de neige, surtout le long du littoral. Vents modérés par moments. Min.: -15 à -17. Max.: près de -12. Risque de précipitations: 40 p.c. Samedi: ciel variable.

Gaspé-Parc Forillon: plutôt nuageux avec quelques flocons de neige. Vents modérés par moments. Min.: près de -15. Max.: près de -12. Risque de précipitations: 20 p.c. Samedi: ciel variable.

Baie-Comeau, Sept-Iles: ciel variable et vents modérés par moments. Min.: -21 à -24. Max.: près de -18. Samedi: beau.

Basse Côte-nord et Anticosti, secteur à l'ouest de Natashquan: quelques averses de neige.

L'ETAT DES ROUTES

Le service de renseignements sur l'état des routes, au ministère des Transports du Québec, est ouvert 24 heures par jour, sept jours par semaine, du 15 novembre au 31 mars. Quelle que soit la destination, les renseignements peuvent être obtenus en composant 643-6830 (Québec) ou **368-2389** (Gaspé) ou **722-3702** (Rimouski) ou **862-7244** (Rivière-du-Loup).

1. Quelle sera la température maximum à Montréal? ____________________

____

2. Quel temps fera-t-il à Québec? ____________________________________

____

3. Quel temps fera-t-il dans la Réserve des Laurentides? ______________

____

4. Comme vous voulez éviter le neige, partirez-vous aujourd'hui? Pourquoi?

____

____

____

____

____

____

5. Comment pourriez-vous vérifier l'état des routes? ________________

____

____

____

6. À votre avis, pourquoi y a-t-il une carte de la Floride dans les prévisions?

____

____

____

____

Nom ______________________ Classe ______________ Date ______________

D. Après avoir mûrement réfléchi à la situation, vous décidez de prendre l'autobus. Étudiez l'horaire ci-dessous et répondez aux questions suivantes.

QUÉBEC – CHICOUTIMI – ARVIDA – JONQUIÈRE / KÉNOGAMI

No Station	ROUTE No 42 5/09/85	Tous les jours	Tous les jours	Tous les jours	Exc. Sam. Dim.	Ven. seul.	Dim. seul.	Tous les jours	Ven. Dim.	Tous les jours	Miles	Kilo-mètres
	MONTRÉAL .... Dép.	*07 00*	*09 00*	*11 00*	..	*14 00*	*14 00*	*15 00*	*17 00*	*20 00*	..	..
	QUÉBEC (Terminus)............... Arr.	*10 05*	*11 50*	*13 50*	..	*17 05*	*17 05*	*17 50*	*20 05*	*22 50*	..	..
	VOYAGE	1	3	5	17	15	7	9	11	13		
83	STE-FOY (Boul. Laurier)...........Dép.	..	..	..	14 10	17 10	..	..	..	..	0.0	0.0
85	QUÉBEC (Terminus)...... .....Dép.	10 30	12 30	14 30	14 30	17 30	17 30	18 30	20 30	23 30	5.0	8.1
63	LATERRIÈRE JCT................ A...Arr.	12 54	14 54	16 54	16 54	19 54	19 54	20 54	22 54	01 54	126.0	202.8
62	CHICOUTIMI.............. A...Arr.	13 10	15 10	17 10	17 10	20 10	20 10	21 10	23 10	02 10	136.1	219.1
62	CHICOUTIMI .... A..Dép.	13 10	15 10	17 10	17 10	20 10	20 10	21 10	23 10	02 10	136.1	219.1
60	ARVIDA ....A...Arr.	13 30	15 30	17 30	17 32	20 30	20 30	21 30	23 30	02 30	142.6	229.5
59	JONQUIÈRE/KÉNOGAMI . A...Arr.	13 40	15 40	17 40	17 40	20 40	20 40	21 40	23 40	02 40	147.2	236.9

AGENTS LOCAUX

♥ **QUÉBEC** – Gare Centrale d'Autobus, 225 est, boul. Charest. Tél. (418) 524-4692.
– Terminus Ste-Foy, 2700 boul. Laurier. Tél. (418) 651-7015.

♥ **CHICOUTIMI** – Terminus d'Autobus, 55 est, Racine. Tél. (418) 543-1403.

♥ **ARVIDA** – Restaurant Eureka Enr., 209 rue LaSalle. Tél. (418) 548-4546.

♥ **JONQUIÈRE** – Terminus d'Autobus Jasmin, 555 rue St-Hubert. Tél. (418) 547-2167.

♥ – Arrêt d'autobus, billets en vente ici. Les colis "affranchi", "contrat" et "à percevoir" peuvent être expédiés à ces endroits.

– Le service de cueillette et de livraison de colis est disponible à cette agence.

A – Pas de service local entre ces stations.

Les horaires sont sujets à changement sans avis. Les arrivées, départs et correspondances des autobus aux heures indiquées ne sont pas garantis.

Les horaires indiquent l'heure avancée de l'est lorsqu'elle est en vigueur et l'heure normale de l'est le reste de l'année.

SUJET À L'APPROBATION DE LA COMMISSION DES TRANSPORTS DU QUÉBEC.

SERVICES DES FÊTES
CONSULTEZ VOTRE AGENT LOCAL VOYAGEUR

VOYAGEUR INC.
225 est, boul. Charest, Québec.

1. Si vous vouliez arriver avant la tombée de la nuit, à quelle heure faudrait-il quitter Montréal? ______________________

____

2. À quelle heure arriveriez-vous à Chicoutimi? ______________________

____

____

3. Combien d'heures dure le trajet? ______________________________

____

4. Sainte-Foy est à 219,l kilomètres de Chicoutimi. Quelle est la distance entre Sainte-Foy et Chicoutimi en miles? ______________________________

____

5. Comme la distance entre Montréal et Québec est de 157 miles, quelle est la distance entre Montréal et Chicoutimi? ______________________________

____

6. Quel est le dernier arrêt sur la route No. 42? ______________________________

____

7. Combien de temps faut-il pour aller de Montréal à Québec? ______________

____

8. Quelle est la distance entre Chicoutimi et Arvida? ______________________

____

Leçon 6

ÉTUDE DU LEXIQUE

Récrivez la lettre suivante en vous servant d'une expression équivalente aux mots soulignés.

Cher Gatien,

Sans doute, je procède mal en essayant de changer ta conduite. En premier lieu, les habitudes de la société ont changé, la conscience des femmes se développe et l'état de la femme perturbe les hommes comme toi. Tu es célibataire et tu désires te marier, tandis que moi, mes études réclament toute mon attention à présent. J'espère être employée supérieure un jour; tu n'es qu'un ouvrier sans spécialisation, mais ce n'est pas là d'où jaillit le problème. Nous ne pourrons pas nous comprendre si tu imagines gagner des privilèges en m'épousant. Si je me marie, je désire un époux adulte qui accepte une femme dont la carrière est en plein développement. Il devrait prendre intérêt à ses besoins à elle, au lieu de s'inquiéter seulement de ses talents domestiques! Je raterais ma vie en obéissant à un mari qui réclame que je reste à la maison, que je joue au bridge le samedi soir. Aujourd'hui même, j'ai lu dans un journal que la proportion des divorces a encore augmentée, que la femme mariée est bien moins heureuse que la femme non-mariée! Cela m'a fait peur. Tu n'aurais pas dû tomber amoureux de moi car je savais que j'allais te tromper dans tes espoirs. Il faut finir par accepter l'inévitable. On a pourtant eu de bons moments: l'après-midi à Chamonix au moment où nous sommes arrivés au sommet de la montagne, ce soir passé allongés devant le feu. Cela reste, mais nous devrions essayer d'oublier un mariage qui ne pourrait pas réussir; nos attentes sont trop différentes.

Madeleine

Nom ______________________________ Classe ______________ Date ______________

GRAMMAIRE

I. Les pronoms objets *y* et *en*

Vous passez un test psychologique sur votre attitude à l'égard du mariage. Répondez aux questions suivantes en employant **y** ou **en**, selon le cas.

1. Faut-il qu'un mari s'intéresse au développement intellectuel de sa femme?

____

____

2. Si vous étiez marié, est-ce que vous vous intéresseriez au travail de votre conjoint(e)? ____

____

3. Est-ce qu'une femme doit se soumettre à l'autorité de son mari? ______________

____

4. Une femme peut-elle aller en France sans son mari? ______________

____

5. Est-ce qu'un mari peut aller à une réception sans sa femme? ______________

____

6. Est-ce qu'une femme devrait rester à la maison si elle a des enfants? ______________

____

7. Est-ce qu'un mari doit répondre aux questions de sa femme? ______________

____

8. Une femme devrait-elle penser aux besoins de son mari avant les siens?

____

____

9. Un mari a-t-il des responsabilités à la maison? ______________

____

10. Un mari devrait-il se soucier de la carrière de sa femme? ____________________

____

11. Un mari devrait-il rester au travail très tard sans téléphoner? ______________

____

12. Un mari peut-il avoir une amie? ____

____

13. Est-ce que la femme idéale est contente du succès de son mari? ______________

____

14. Peut-elle participer à la réussite de son mari? ____________________________

____

15. Est-ce que les hommes devraient se souvenir de l'anniversaire de leur femme?

____

____

16. Si vous étiez marié(e), auriez-vous envie d'avoir une maîtresse (ou un amant)?

Pourquoi? ____

____

17. Si vous étiez marié(e), voudriez-vous avoir des enfants? Combien? Pourquoi?

____

____

____

18. Avez-vous peur de vous marier? Pourquoi? ____________________________

____

19. Avez-vous pensé à vous marier un jour? ______________________________

____

Nom ______________________ Classe ____________ Date ____________

II. Les pronoms toniques

A. Vous arrivez en France pour la première fois et vous descendez chez une famille française. On vous pose des questions. Répondez-y en utilisant des pronoms toniques, **y** ou **en**, selon le cas.

1. Pourriez-vous nous parler des États-Unis? ______________________

   ____

2. Pourriez-vous nous parler de votre mère? ______________________

   ____

3. Pourriez-vous nous parler de vos amis? ______________________

   ____

4. Pensez-vous souvent à votre père? ______________________

   ____

5. Allez-vous recevoir du courrier? ______________________

   ____

6. Voudriez-vous vous promener sur les Champs-Élysées? ____________

   ____

7. Voudriez-vous aller chez notre tante? ______________________

   ____

8. Est-ce que vous vous intéressez à l'histoire de la France? ____________

   ____

9. Est-ce que vous vous intéressez à notre fils? ______________________

   ____

10. Est-ce que vous voulez sortir avec nous? ______________________

    ____

B. Une camarade vous pose des questions. Répondez-lui en employant le pronom tonique ou l'objet indirect, selon le cas.

1. As-tu parlé à mon fiancé ce matin? ______________________________

____

2. Est-ce qu'il t'a parlé de moi? ______________________________

____

3. Est-ce que tu te souviens de ce qu'il t'a dit? ______________________

____

4. Pense-t-il à moi? ______________________________

5. Pense-t-il à notre mariage? ______________________________

6. Est-ce qu'il s'inquiète de notre mariage? ______________________

____

7. Est-ce qu'il se soucie de ses parents? ______________________

____

8. Se soucie-t-il de nos projets? ______________________________

____

III. Les pronoms possessifs

A. Vous parlez à une personne à propos de vos amis. Remplacez les noms soulignés par un pronom possessif.

Lorsque je considère mes problèmes, les problèmes de mes amis me semblent minimes. Par exemple Marie, son problème c'est qu'elle n'a pas de voiture; quant à Rémy, ses problèmes sont triviaux, à mon avis. Pourtant, tes problèmes me semblent plus légitimes, car tes parents, comme mes parents, divorcent. Nos problèmes sont donc pareils. Ma mère en a assez, ta mère aussi. Ton père boit trop, mon père aussi. Mes deux soeurs sont encore très jeunes, tes soeurs aussi; tes frères ont déjà quitté la maison, mes frères aussi.

______________ ______________ ______________

______________ ______________ ______________

______________ ______________ ______________

____

Nom ______________________ Classe ______________ Date ______________

B. C'est la fin d'une réception et tous les invités cherchent leurs affaires. Vous les leur distribuez.

Exemple: C'est le manteau de Claude.
C'est le sien.

1. C'est le manteau de Lisette. ______________________
2. C'est la fourrure de Chantal. ______________________
3. C'est le foulard de Michel. ______________________
4. C'est la cape de Monsieur Sirois. ______________________
5. Ce sont les gants de Bernard. ______________________
6. Ce sont les gants de ses enfants. ______________________
7. Ce sont les mitaines de Jérôme. ______________________
8. Ce sont les mitaines de mes enfants. ______________________
9. C'est ma fourrure. ______________________
10. Ce sont tes bottes. ______________________
11. Ce sont les bottes de tes enfants. ______________________
12. Ce sont les bottes de mon mari. ______________________

IV. tout

Votre fille se marie. Vous êtes toute heureuse. Complétez le passage suivant en vous servant du mot **tout** ou d'une expression avec **tout**.

Ce n'est pas ______________ les jours qu'on se marie! Ma fille est ______________ heureuse de se marier. Elle m'a ______________ dit sur son fiancé, car il a pris ______________ son attention ces derniers temps. ______________ le monde viendra à ses noces et, après ______________, pourquoi pas? Elle mérite ______________ la joie du monde. ______________ cas, ______________ vont venir. Elle sera mignonne ______________! ______________façon, ______________ reste à faire. ______________l'heure, je vais envoyer ______________ les invitations.

_______________ manière, je vais _______________ arranger, car je suis sa mère. Après son mariage, j'espère qu'elle viendra me voir _______________ les dimanches, car _______________ même, je suis sa mère!

EXERCICES PRATIQUES

A. Vous pensez faire un tour en Europe pour votre lune de miel. Étudiez la publicité ci-dessous et répondez aux questions qui suivent.

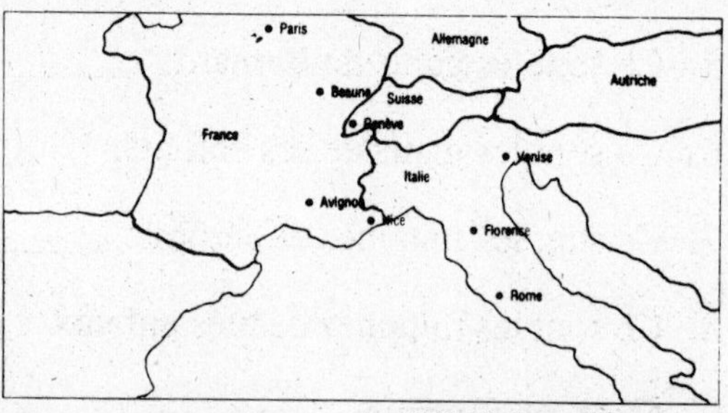

22 JOURS
Un voyage tout en modulation: de la ville à la campagne, de la mer à la montagne. Qui n'a pas rêvé des petits cafés parisiens à Montmartre? Dégustation de vins en Bourgogne, le grand air dans les Alpes, balade sur la Côte d'Azur, voilà le côté français de l'Europe Soleil. L'Italie, mère des arts, vous ouvrira les portes de l'histoire de la civilisation romaine. N'oubliez pas les plages ensoleillées de l'Adriatique et de la Méditerranée, une détente généralement appréciée.

ITINÉRAIRE

JOUR 1 **Montréal/Paris**
Rendez-vous à Mirabel pour le vol vers Paris.

JOURS 2-3 **Paris**
2 journées dans la capitale française: les quais de la Seine, la Tour Eiffel, les Champs-Élysées, Montmartre, le Sacré-Coeur...

JOUR 4 **Paris/Beaune**
Arrêt à Fontainebleau pour une visite du château et des jardins. Via Dijon, arrivée à Beaune. Visite des Caves à Vin.

JOUR 5 **Beaune/Chamonix**
Traversée des vignobles bourguignons et du Jura français.

JOUR 6 **Chamonix**
Une journée pour apprécier les charmes de la montagne: ski d'été, randonnée pédestre...

JOUR 7 **Chamonix/Stresa**
Par le col de la Forclaz, arrivée en Suisse. Journée de montagnes, lacs, verte campagne...

JOUR 8 **Stresa**
Repos bien mérité dans les jardins et au bord du lac.

JOUR 9 **Stresa/Venise**
Vous quittez les Alpes. En route pour Venise, après un arrêt au lac de Côme et une courte visite de Milan.

JOUR 10 **Venise**
Flânez le long des canaux, sur les ponts, au milieu des pigeons de la plac St-Marc...

JOUR 11 **Venise/SanMarino**
Vous suivez la côte adriatique en passant par Ravenne, joyau de l'art byzantin, jusqu' à San Marino, un des plus petits états du monde.

JOUR 12 **San Marino/Rome**
Après un arrêt à Assise, cité du silence et des oiseaux, en route pour la <<ville éternelle>>.

JOURS 13-14 **Rome**
Rome, cosmopolite, centre d'art, vous accueille: ses cafés-terrasses si gais, la fontaine de Trevi, le musée du Vatican, la villa Borghese...

JOUR 15 **Rome/Florence**
En passant par Sienne, en route pour Florence.

JOUR 16 **Florence**
Les splendeurs de la Renaissance au Baptistère, au palais Pitti, à la galerie des Offices...

JOUR 17 **Florence/Cannes**
Arrêt à Pise et sa fameuse tour penchée avant de s'élancer sur la Riviera italienne jusqu'à Cannes.

JOURS 18-19 **Cannes**
2 grandes journées pour profiter de la Côte d'Azur: Nice, la promenade des Anglais; Cannes, ses jardins fleuris, la croisette; les charmes de l'arrière-pays.

JOUR 20 **Cannes/Mâcon**
Nous traversons la Provence, tout en parfums, et passons par Lyon pour arriver dans un autre haut lieu de Bourgogne: Mâcon.

JOUR 21 **Mâcon/Paris**
En passant par Vézelay, ses rues étroites bordées de demeures anciennes, retour dans la capitale française.

JOUR 22 **Paris/Montréal**

Conditions

Circuit Club-Connaisseur

Groupe: 8 voyageurs
Transport:
• avion Montréal/Paris
• minibus
Logement: hôtels, petits déjeuners
Dates/Prix:

10 au 31 mai	$1995.
7 au 28 juin	$2009.
5 au 26 juillet	$2109.
26 au juillet au 16 août	$2109.
9 au 30 août	$2109.
23 août au 13 septembre	$2099.
13 septembre au 4 octobre	$2099.

incluant le transport aérien, le transport, terrestre et le logement décrits ci-dessus, les taxes d'aéroport et d'hôtels et les services d'un animateur.
À prévoir: les repas ($20. par jour), les activités et visites ($200.) et les dépenses personnelles.
Prime assurance-vacances: $84.

Nom ______________________ Classe ______________ Date ______________

1. Si vous vous mariez en juin, combien le voyage vous coûtera-t-il? ________

____

2. Qu'est-ce qui n'est pas compris dans le prix du billet? ________

____

3. Pourquoi est-ce que les voyages coûtent plus cher en juillet et en août? ____

____

4. Quels moyens de transport allez-vous employer pendant votre voyage? ____

____

5. De quelle ville faut-il partir pour arriver à Paris? ________

____

6. Qu'est-ce que vous verriez, si vous alliez en Italie? ________

____

7. Quelle chaîne de montagnes verriez-vous? ________

____

8. Quelles plages visiteriez-vous? ________

____

9. Quelle partie du voyage vous semble la plus attrayante pour un couple qui vient de se marier? Pourquoi? ________

____

____

____

B. Vous et votre fiancé(e) pensez faire une croisière. Étudiez la publicité et répondez aux questions suivantes.

Matin

croisière# Départ 10h00 / Retour 11h00

1

Cette croisière guidée permet d'admirer, entre autres, les récents développements du Vieux-Port, les installations de la Garde Côtière et les chantiers maritimes de Lauzon.

Adultes:	**$10.50**
Âge d'Or:	**$ 9.50**
Enfants (5 à 12 ans):	**$ 5.25**

croisière#

2

Forfait bateau/autobus

Cette combinaison offre notre croisière #1 à laquelle s'ajoute un tour guidé en autobus parcourant les rues du Vieux Québec.

Après-midi

croisière# Départ 14h00 / Retour 15h30

3

Croisière guidée vers les paysages enchanteurs de l'Île d'Orléans et des Chutes Montmorency. Une vue panoramique de la ville perchée sur les hauteurs du Cap Diamant à en couper le souffle.

Adultes:	**$13.00**
Âge d'Or:	**$11.75**
Enfants (5 à 12 ans):	**$ 6.50**

Soir

croisière# Départ 20h00 / Retour 23h00

4

Laissez-vous emporter au romantisme. Danse à la belle étoile. Variétés musicales. Féerie des lumières de la ville en passant sous les ponts de Québec.

Adultes:	**$14.50**
Âge d'Or:	**$13.00**
Enfants (5 à 12 ans):	**$ 7.25**

Nom ______________________ Classe ____________ Date ____________

1. Quelle croisière coûte le moins cher? ______________________

2. Qu'est-ce qu'elle comprend? ______________________

3. Quelle est la durée de la croisière #3? ______________________

4. Qu'est-ce qu'elle comprend? ______________________

5. Quelle croisière semble la plus romantique? Pourquoi? ____________

6. Quelle croisière faudra-t-il prendre si vous voulez éviter les enfants?

   Pourquoi? ______________________

7. Que faudra-t-il faire, si vous désirez visiter le Vieux Québec? ____________

C. Étudiez les annonces à la page suivante et répondez aux questions suivantes. Voici quelques abréviations et quelques définitions pour vous aider à déchiffrer les annonces.

a. ans

arr. arrondissement (division municipale à Paris)

b. bon/bonne

cél. célibataire

ch. cherche

charm. charmant(e)

cult. cultivé(e)

disc. discrétion

div. divorcé(e)

ds. dans

dyn. dynamique

égérie inspiratrice

ens. enseignant(e)

ét. sup. études supérieures

F. femme

fém. féministe

gén. généreux

H. homme

J.F. jeune fille, jeune femme

lib. libéré(e)

nat. natation

PDG Président Directeur-Général

ph. photo

pr. pour

prof. lib. profession libérale

renc. rencontrer

R.P. région parisienne

sér. sérieux

sit., situa. situation

sle. seule

souh. souhaite

st. stable

sup. supérieur(e)

sym. sympathique

tot. totalement

yx. bl. yeux bleus

Nom ______________________ Classe ______________ Date ______________

PARTICULIERS

Brune chvx lgs, 1,68 m. ét. sup., cél, souh, renc. H. pr partager vie. Ecrire journal.

RP, F. 37a., ét. sup., nat. gaie, équil, sens., dés. renc. H qual. en rap. pr. rel. dur. Ecrire journal.

R.P. JF Chef d'entreprise, 38a., divorcée, sensuelle, mince et blonde aux yeux verts, débordante de tendresse et d'amour ch. H. âge et situation en rapport, gai, chaleureux, pour relations durables. Tél. indispensable, mariés s'abstenir. Ecrire journal.

R.P. "Un homme et une femme..." Je suis la femme, jolie blonde de 37 a., divorcée, belle situation. Serez-vous l'homme de cette belle histoire d'amour? Tél. indispensable. Ecrire journal.

Rockeuse de choc, chic, 38 tours, look d'enfer, moral au zénith, danserait tout l'été, ni à Nashville, ni à Memphis, ni à Bayreuth mais à Panama tout simplement avec rocker sans chaîne, haut de gamme pr loft story sans fausse note. Ecrire journal.

JF 38 a., rousse, yeux bleux, niv. social élevé, très séduisante, élégante, aim. nat. voy., mus. rech. H. M profit pr rel. dur. si aff. Ecrire journal.

75-R.P. JF 35 a., cél. ch. amis(es) pour loisirs, w.-e., vacances (libre juillet) Ecrire journal.

RP JF 30 a., jolie, dce, intel. ch. étincelle avec H séd., passionné. sens. pr part. le meilleur avec humour et amour. Ecrire journal.

76. JF 30 a. ch. amie lesb. rel. sér. Let. dét. Tél SVP. Ecrire journal.

JF 26 a., jolie, brune, prof. lib. ch. ami doux, lib., aisé, max. 35 a., aim. rire et choyer une fem. Tél. et dom. Paris souhait. Ecrire journal.

Fin quar., bde, mince, sens., cult. ch. nobl. bourg., grand, rafiné, tendre, gai, affirmé.
13.F. 55 a., div. ch. 55-60 tolérant pr amit. prof. dur. + affin. Ecrire journal.

92. F. 43 a., prof. lib., sép. cherche H. tendre aim. musique, nat., tennis, intelli. de préf. Ecrire journal.

JF allem., 36 a., ni jolie, ni gentille ch. H. gentil de type latin. Ecrire journal.

75. F. 39a., jolie, dist. ch. H. 35/50 a., b. phys., aisé, gai, tendre, aim, sorties p. amit. + si aff. Ecrire journal.

75. F. 39a., grande, sensible, souh, partager amour, tendresse, émotions et plus avec H. libre, tendre et gai. Ecrire journal.

75 et RP F 47 a., brune, mince, sympa, renc. H 40-50 a. sympa pour sorties et + si affinités. Ecrire journal.

75. Very good looking y. woman 26 y. married would like to visit USA with tall and attractive cowboy. Photo and Phone. Ecrire journal.

13. F 44 a., intellectuelle, ch. Compagnon. Tél souh. Ecrire journal.

Jolie JF 35, div. renc. H âge ind. ms sens., disc., très généreux pr mon rêve Paris son appt: 1-10-7. Cannes croisette fin mois... Et plus? Ecrire journal.

JF tendre, architecte dés. renc. H 34-42 a., délicat, gai, gén., b. phys. Ph. et tél souh. Ecrire journal.

78 75. F 38a., div. souhaite renc. H 35 a. pr partager bons côtés de la vie. Équil., sensible, cultivé, humour. Lettre souh. Tél. Ecrire journal.

Quel H 45-50 exellent milieu, libre, tendre, sensible aimerait partager l'été de la vie avec JF quarant, gaie, douce, charme et humour. Ecrire journal.

93. JF 25 a. ch. H 50 a. pr partager tendres moments. Ecrire journal.

RP F 43 a., univ. charm. sensib. juvén, attend tout d'un H bon, fin, gén., chal., équil., aimt vie et beauté, cap. rendre f. heur. Ecrire journal.

75. JF 42 A., gaie, fém., bien phys., douce, ch. H. tendre pr partager long bonheur à 2. Ecrire journal.

Séduisante, jupe-culotte souh. renc. Pantalon sur mesure haut de gamme, env. 40-50 a. pr être (vendus) ensemble! Ecrire journal.

Offrons tous frais payés à 4 JF superbes et disp. 20-30 a., croisière 18-31 août 6 pers. Ecrire journal.

75. H. 50 a., libre, bien pour qui le bien est doux, calme, tranquille au féminin. Ecrire journal.

Pierre, 30 Rank Xerox reçoit sur RV hommes, femmes, couples, ts fantasmes.

75. H. 45 a., 1.80 m. 79 kg. brun, aisé ch. future maman, rel. dur si aff. Photo et tél souh. Ecrire journal.

75. H. cadre sup., 47 a., libre, 1,78 m. forte personn., viril rencont. JF sensuelle, intelligent, féminine. Ecrire journal.

PDG stand. 45 a. 1,80 m. brun, yx clairs, t.b. physiquement, lib., personnalité, dyn., disting., symp., hum., gén., sécurisant, aimt vie, soleil, nature, voyages, loisirs, spect., souh. renc. JF 25-35 a., équilibré, intelligente, t. jolie, phys agr., mince., élég., séd., charme, fémin., spontanée, tend. et sensible, pr. relt. dur., complicité, qual. de vie. Ph. et tél souh. Ecrire journal.

Si vous vous ennuyez d'être comme ci, téléphonez moi. Si vous vous désolez d'être comme ça tél-moi. Moi je suis comme je suis ce qui ne plaît pas toujours.

75. Directeur 58 a., ail. jeune, marié, b. élevé, cult., tend., ch. relat. dur. av. F. 45-55 a. pr déc. et semb. ciel bleu. Ecrire journal.

75. H 40 a., cad. sup., bstr, libre, ch. Femme hors du commun, intel belle, sensuelle, bien dans sa peau. Ecrire journal.

Industriel ch. compagne gaie, jolie dist. entre 18 et 25 a. pr croisière à Grèce août. Aussi voyages dans monde ensuite. Ph. et description. Ecrire journal.

75. H. 38 a., tendre, caressant ch. JF sensuelle, ardente, volup. pr. ren brûlante. Ecrire journal.

Centre est Paris. Intellectuel distingué, rech. JF 23-30 a., ét. sup jolie nat., indiff. Ecrire journal.

75. H 34 a. fonct., sentiment, cultivé, renc. JF 25-38 a. pour faire longue route. Ecrire journal.

78. H div., 50 a., éternellement jeune, dyn., cult., chal., opti renc. F 40 a. qui serait son heur complément. Ecrire journal.

Pour 34 F de plus par ligne trouvez deux fois plutôt qu'une
Couplage annonces Le Nouvel Observateur-Le Matin
128 F TTC par ligne
Tél.: 233-28-43
Minimum de 3 lignes
Domiciliation: 1 ligne
Réexpédition du courrier : 40 F TTC
28 lettres ou espaces par ligne

TEXTE DE L'ANNONCE:

|_|_|_|_|_|_|_|_|_|_|_|_|_|_|_|_|_|_|_|_|_|_|_|_|_|_|_|_|

* (n'inscrire qu'une lettre par case - laisser une case entre chaque mot - écrire en caractères d'imprimerie)

|_|_|_|_|_|_|_|_|_|_|_|_|_|_|_|_|_|_|_|_|_|_|_|_|_|_|_|_|

|_|_|_|_|_|_|_|_|_|_|_|_|_|_|_|_|_|_|_|_|_|_|_|_|_|_|_|_|

|_|_|_|_|_|_|_|_|_|_|_|_|_|_|_|_|_|_|_|_|_|_|_|_|_|_|_|_|

1. Qu'est-ce qui semble caractériser la plupart des annonces faites par les femmes? ______________________________

____

____

2. Qu'est-ce qui caractérise les annonces faites par les hommes? __________

____

____

3. Qu'est-ce que les femmes cherchent chez les hommes? __________

____

____

____

4. Est-ce que certaines annonces vous choquent? __________

____

5. Lesquelles? ______________________________

____

____

____

____

6. Pourquoi vous choquent-elles? __________

____

____

____

7. À votre avis, pourquoi est-ce que les gens mettent des annonces comme cela dans le journal? ______________________________

____

____

Nom ______________________ **Classe** ____________ **Date** ____________

8. Quelles annonces vous intéressent? ______________________

____

____

____

9. Pourquoi vous intéressent-elles? ______________________

____

____

____

10. Etes-vous tenté d'y répondre? ______________________

____

____

11. Composez votre propre annonce. ______________________

____

____

____

____

____

____

12. Copiez votre annonce sur le formulaire fourni par le magazine (page 199).

Leçon 7

ÉTUDE DU LEXIQUE

A. Récrivez le conte de fée suivant en remplaçant les mots soulignés par une phrase équivalente.

Il existait une fois, une femme dont le mari était mort; toujours habillée en noir, elle passait son temps à réparer et à passer un fer chaud sur ses vêtements car elle n'etait pas riche. Elle n'avait ni bijoux ni gardienne pour ses deux enfants. Sans arrêt, elle réprimandait la plus âgée qui était fort hautaine et qui refusait de nettoyer à l'eau les pichets. La plus âgée voulait porter de beaux vêtements et aimait extrêmement les bijoux. Elle avait une grande répugnance pour sa soeur cadette qui n'était pas pareille. La plus âgée se fâchait souvent contre sa petite soeur qui s'enfuyait dans les bois et qui se cachait facilement de sa soeur. Comment résoudre des problèmes avec une soeur pareille sinon s'en aller vite? Possédant des talents psychiques, elle fit appel à son ange gardien afin de réclamer ses droits. D'un moment à l'autre, elle trouva sa vie changée. Son slogan: sans égalité, pas de liberté!

____

____

____

____

____

____

B. Complétez les phrases suivantes avec le mot approprié.

à part entière	exprès	grande surface	jumeaux
s'y met	en moins	retrouvailles	

1. Quelles belles ________________ les ________________ eurent après des années de séparation.
2. Quand on a 18 ans, on est membre de la société ________________.
3. Dans le temps, cet enfant n'aimait pas le latin; à présent, il ________________.
4. Ton enfant a laissé tomber cette cruche ________________! Qu'il est méchant!
5. Comme nous avions quelques assiettes ________________, nous sommes sortis à la ________________ du quartier pour en acheter d'autres.

Nom ______________________ Classe ____________ Date ____________

GRAMMAIRE

I. Le passé simple

A. Le passage suivant, tiré du 1er acte de *Phèdre* de Racine, décrit la passion de Phèdre pour Hippolyte, le fils de son mari. Récrivez le passage en remplaçant le passé simple par le passé composé.

> Je le vis, je rougis, je pâlis à sa vue;
> Un trouble s'éleva dans mon âme éperdue;
> Mes yeux ne voyaient plus, je ne pouvais parler;
> Je sentis tout mon corps et transir et brûler;
> Je reconnus Vénus et ses feux redoutables,
> D'un sang qu'elle poursuit, tourments inévitables.
> Par des voeux assidus je crus les détourner:
> Je lui bâtis un temple, et pris soin de l'orner;
> [...]
> Contre moi-même enfin j'osai me révolter:
> J'excitai mon courage à le persécuter.
> Pour bannir l'ennemi dont j'étais idolâtre,
> J'affectai les chagrins d'une injuste marâtre;
> Je pressai son exil; et mes cris éternels
> L'arrachèrent du sein et des bras paternels.

____
____
____
____
____
____
____
____
____
____
____
____

B. Au 5e acte de *Phèdre*, Hippolyte rencontre un monstre. Rétablissez le texte original en substituant le présent pour le passé simple pour rendre la description plus vivante. (Voir la page 323 pour le texte authentique de ce passage.)

Cependant, sur le dos de la plaine liquide,
S'éleva à gros bouillons une montagne humide;
L'onde approcha, se brisa, et vomit à nos yeux,
Parmi des flots d'écume, un monstre furieux.
Son front large fut armé de cornes menaçantes;
Tout son corps fut couvert d'écailles jaunissantes;
Indomptable taureau, dragon impétueux,
Sa croupe se recourba en replis tortueux;
Ses longs mugissements firent trembler le rivage.
Le ciel avec horreur vit ce monstre sauvage;
La terre s'en émut, l'air en fut infecté;
Le flot qui l'apporta recula épouvanté.

____

____

____

____

____

____

____

____

____

____

____

____

II. Verbes pronominaux

A. Énumérez les actions matinales que vous faites tous les jours en vous servant de la liste suivante.

Chaque matin, ____________________, se réveiller

ensuite, ____________________________________ se reposer

Nom ______________________ Classe ____________ Date ____________

Après, ______________________ se lever

______________________ se laver la figure

______________________ se brosser les dents

______________________ se doucher

______________________ se raser

______________________ se parfumer

______________________ se maquiller

______________________ se peigner

______________________ s'habiller

______________________ se dépêcher

B. Énumérez les actions que vous avez faites ce matin.

____

____

____

____

____

C. En employant autant de verbes pronominaux que possible dans la liste suivante, inventez une scène d'amour qui a eu lieu.

Quand ils se sont vus pour la première fois, ...

se regarder intensément ______________________

s'embrasser ______________________

s'écrire ______________________

se téléphoner ______________________

se promettre une fidélité éternelle ______________________

s'aimer tendrement ______________________

se donner des cadeaux ______________________

s'adorer ____________________

se marier ____________________

D. Décrivez une scène d'amour que vous voudriez vivre. Référez-vous à la liste précédente.

Quand nous nous verrions, ...

____

____

____

____

____

____

____

____

____

E. Vous venez de rentrer de Suisse et votre ami vous pose des questions. Répondez-lui selon l'exemple.

Exemple: Est-ce qu'on y parle espagnol?
Non, l'espagnol ne s'y parle pas.

1. Est-ce qu'on y parle français? ____________________
2. Est-ce qu'on y parle allemand? ____________________
3. Est-ce qu'on y parle italien? ____________________
4. Est-ce qu'on y parle anglais? ____________________
5. Est-ce qu'on y vend des journaux français? ____________________

   ____
6. Est-ce qu'on y vend des journaux italiens? ____________________

   ____

7. Est-ce qu'on y vend des journaux allemands? ____________________

____

8. Est-ce qu'on y vend des journaux soviétiques? ____________________

____

F. Répondez affirmativement ou négativement aux questions, selon le cas.

1. Quand vous êtes fatigué, êtes-vous capable de vous divertir? __________

____

2. Est-ce qu'on se divertit au cimetière? ____________________

____

3. Est-ce qu'on se lave les mains après s'être douché? ____________________

____

4. Est-ce que vous vous êtes lavé les mains il y a quelques minutes? __________

____

5. Est-ce que vous vous êtes hâté d'arriver en classe à l'heure? __________

____

6. Est-ce que vos parents s'écrivaient avant d'être mariés? __________

____

7. Se téléphonaient-ils souvent avant leur mariage? ____________________

____

8. Est-ce que vous vous êtes demandé s'il y aurait un examen aujourd'hui?

____

9. Vous êtes-vous rendu compte de la difficulté des verbes pronominaux?

____

10. Est-ce que votre amie s'est plainte de sa note? ____________________

____

G. En employant l'impératif, donnez des recommendations à un camarade qui va à la plage.

Exemple: se laver
Lave-toi.

1. (s'amuser) ______________________________

2. (se bronzer avec modération) ______________________________

3. (ne pas se brûler au soleil) ______________________________

4. (se doucher avant de rentrer) ______________________________

5. (se sauver vite, il est déjà midi) ______________________________

____

6. (ne pas se mettre en colère à cause de mes conseils) ______________________________

____

H. Donnez les mêmes conseils à un couple.

1. ______________________________

2. ______________________________

3. ______________________________

4. ______________________________

5. ______________________________

6. ______________________________

III. L'infinitif passé

Vous racontez à un ami une dispute que vous avez eue avec votre enfant. Cet ami essaie de rétablir la chronologie de la dispute.

Exemple: Qu'est-ce que vous avez fait après vous être levés ce matin?
Après nous être levés, nous nous sommes douchés.

1. Qu'est-ce que vous avez fait après vous être douchés? ______________________________

____

Nom ______________________________ **Classe** _______________ **Date** _______________

2. Qu'est-ce que votre fils a dit après s'être levé? ___________________________

   ____

3. Et qu'est-ce que vous lui avez répondu, après vous être levé? _______________

   ____

4. Qu'est-ce que vous avez décidé de faire, après avoir mangé? _______________

   ____

5. Où êtes-vous allé, après être sortis? _______________________________

   ____

6. Et où est-il allé après être sorti? ________________________________

   ____

7. Qu'avez-vous fait après être rentrés? ______________________________

   ____

8. Qu'est-ce que vous vous êtes dit après être rentrés? ___________________

   ____

THÈME

Donnez l'équivalent en français des phrases suivantes.

1. The king reigned 72 years. ______________________________________

   ____

2. There once was a widow who had twins. ____________________________

   ____

3. He is mad about her. ____

4. She washed her hands and face. ___________________________________

5. When they looked at each other, they fell in love. ____________________

   ____

6. Let's have a good time. ______________________________

7. I ask your pardon for not having arrived on time. ______________________________

____

EXERCICES PRATIQUES

A. Vous êtes à Québec avec votre famille. Étudiez le plan de la ville et répondez aux questions suivantes.

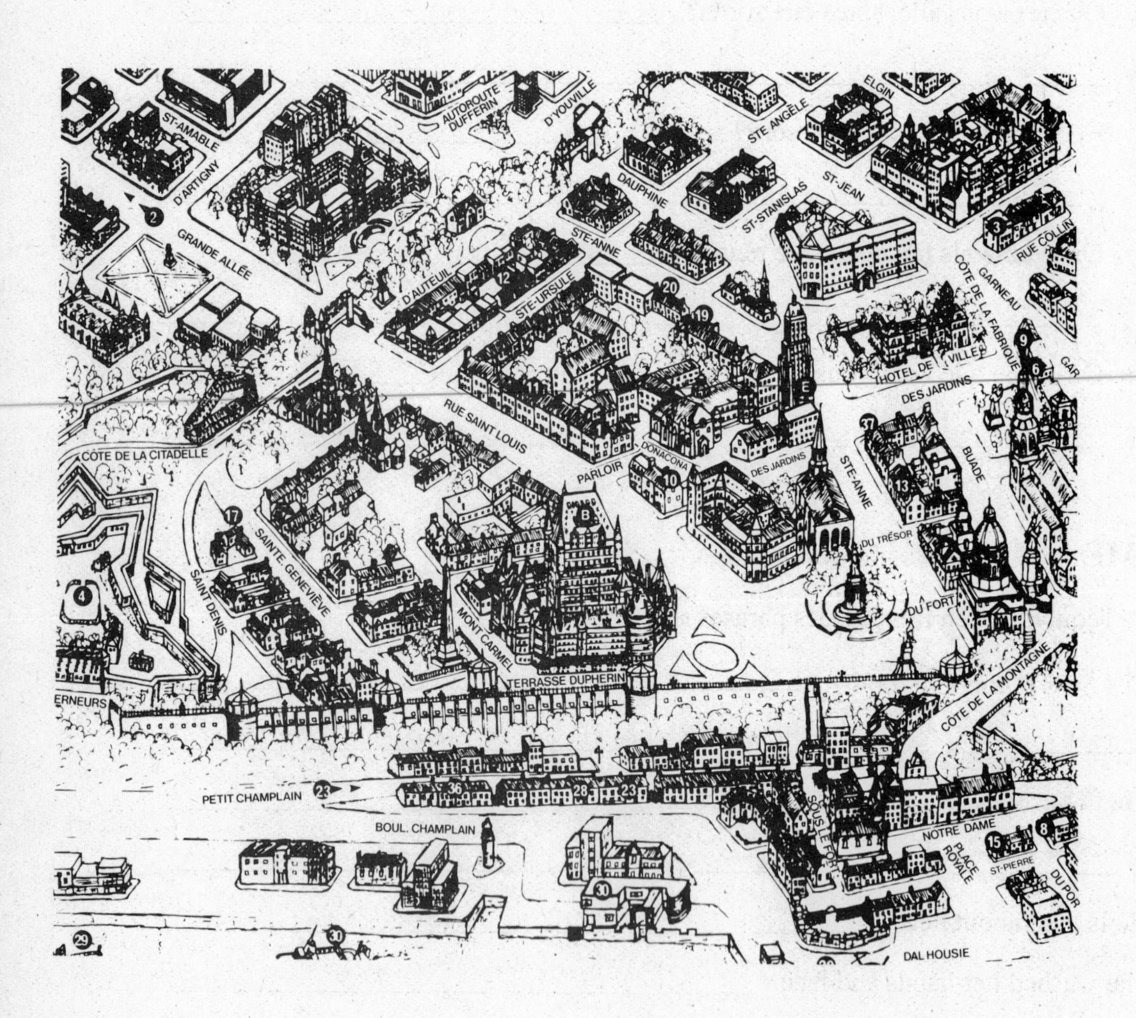

Nom ______________________ Classe ____________ Date ____________

1. Vous êtes à la Librairie Garneau (rue Buade), tandis que votre famille est allée voir la Citadelle (4). Vous vous êtes donné rendez-vous au restaurant la Bastille (17) à la rue Sainte-Geneviève. Comment allez-vous y arriver? ____________

____

____

____

____

Et votre famille? ____

____

____

2. Après avoir soupé, vous décidez d'aller au Château Frontenac (B). Comment allez-vous vous y rendre? ____

____

____

____

3. Du Château Frontenac, vous décidez de faire un tour à la Place Royale dans la Basse-Ville. Quelles rues faut-il emprunter pour vous y rendre? (Écrivez des phrases complètes.) ____

____

____

____

____

4. Vous logez au Hilton (A), et vous voulez vous y rendre à pied. Quelles rues vous faut-il emprunter pour y arriver? (Écrivez des phrases complètes.) ____________

____

____

B. Vous êtes à Vannes en Bretagne. Étudiez la ligne N° 2 et, répondez aux questions qui suivent.

1. Vous êtes à Conleau et vous voulez aller à la Place de la République. À quelle heure part le dernier autobus de Conleau samedi? ______________

2. D'où part-il? ______________

3. À quelle heure part le dernier autobus vendredi? ______________

4. D'où part-il? ______________

5. Combien d'arrêts est-ce que l'autobus fait du Square du Morbihan à la Place de la République? ______________

6. À quelle heure est-ce que le dernier autobus arrive à Conleau mardi soir? ______________

7. Combien de temps faut-il pour aller de Lesage à Vannes? ______________

Nom ______________________ Classe ______________ Date ______________

LIGNE N° 2

CONLEAU -- P. de la RÉPUBLIQUE – Ménimur

Départs de Pl. de la République vers CONLEAU	Départs de Conleau
	6 h 40
7 h 25 - 45	7 h 00 - 20 - 40
8 h 05 - 25 - 45	8 h 00 - 20 - 40 T
9 h 15 - 45	9 h 00 - 30
10 h 15 - 45	10 h 00 - 30
11 h 15 - 45	11 h 00 - 30
12 h 05 - 25 - 45	12 h 00 - 20 -40
13 h 05 - 25 - 45	13 h 00 - 20 - 40 T
14 h 15 - 45	14 h 00 - 30
15 h 15 - 45	15 h 00 - 30
16 h 15 - 45	16 h 00 - 30
17 h 05* - 15 S - 25* - 45	17 h 00 - 20* - 30 S - 40*
18 h 05* - 15 S - 25* - 45	18 h 00 - 20* - 30 S - 40*
19 h 05* - 15 S - 25*	19 h 00 - 20*

Observations :

* = Ne circule pas le samedi
S = Ne circule que le samedi
T = Terminus Place de la République

Ligne 2 : Horaires soulignés = Terminus à l'île de Conleau.
Autres horaires = Terminus et départs du Square du Morbihan.

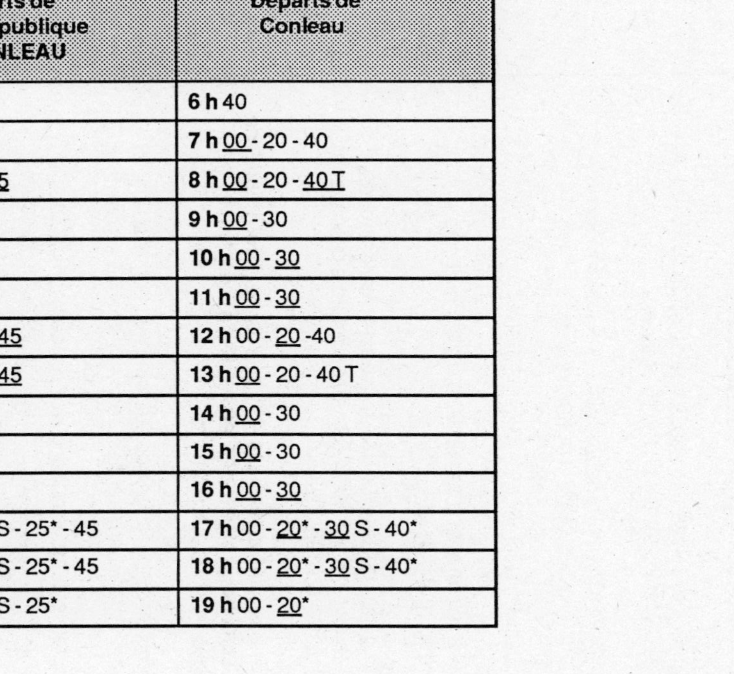

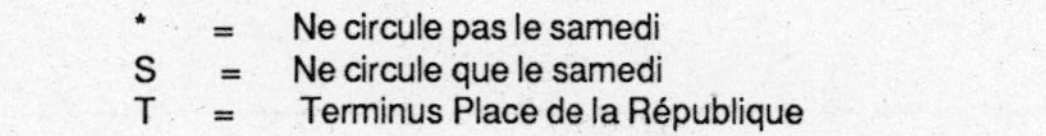

C. Votre enfant vous pose des questions à propos de l'autobus. Expliquez-lui le règlement de façon simple. Étudiez la liste de règlements.

Ce qu'il faut savoir...

- Les voyageurs sont tenus de faire l'appoint.*
- Préparez votre monnaie avant de monter dans le Bus si vous devez acheter un ticket au détail.
- Réclamez ce ticket et conservez-le durant tout le trajet.
- Le ticket acheté auprès du conducteur doit être composté par le voyageur.
- Tout voyageur doit être en possession d'un titre de transport.
- A la montée, OBLITÉREZ* et CONSERVEZ votre ticket.
- La montée des voyageurs se fait par la porte avant, la descente par les portes du milieu et arrière.
- Facilitez l'accès de l'autobus aux autres voyageurs en ne stationnant pas près de la porte d'entrée.
- Il est interdit de fumer.
- Les enfants de moins de 4 ans, tenus sur les genoux, voyagent gratuitement.
- Les bagages portés à la main ne gênant pas les autres voyageurs ainsi que les poussettes d'enfants pliées, sont transportés en franchise.
- Les chiens sont admis dans les voitures, hors des heures de pointe, muselés et tenus en laisse. Ils donnent lieu à perception d'une place entière.
- Les heures de passage des autobus sont données à titre indicatif et sont normalement respectées sauf incidents.
- Les arrêts d'autobus matérialisés par des abris ou des poteaux sont les seuls points de montée ou de descente des voyageurs.
- Les horaires, les itinéraires peuvent être modifiés pour les impératifs d'exploitation (travaux, nouvelles dessertes).

faire l'appoint avoir la somme exacte
oblitérer annuler par l'apposition d'un cachet, composter

Nom ______________________ **Classe** ______________ **Date** ______________

1. Est-ce qu'on peut jeter son ticket? ______________________

   ____

   ____

2. Pourquoi ne peut-on pas monter par la porte arrière? ______________

   ____

   ____

3. Pourquoi ne puis-je pas m'appuyer contre la porte d'entrée? __________

   ____

   ____

4. Pourquoi est-ce que ce monsieur vient d'éteindre sa cigarette en montant dans l'autobus? ______________________

   ____

5. Pourquoi est-ce que ce chien est muselé? Est-il dangereux? __________

   ____

   ____

   ____

MOTS CROISÉS

Horizontalement

1. passer un fer chaud sur un vêtement
7. contraction: **à + le**
8. ville importante, la partie la plus ancienne de la ville
9. pichet, récipient à bec
12. lère personne de **rire,** au subjonctif
13. métal précieux, jaune, brillant
14. petite fille (*mot familier*)
15. pronom adverbial

Nom ______________________________ **Classe** ______________ **Date** ______________

16. 1ère personne de **munir**
17. abréviation République démocratique allemande
19. adjectif relatif à l'aviation, un moyen de transport ________
20. 1ère personne de **dire**
21. touchée au niveau émotif

Verticalement

1. répare
2. crainte
3. diagrammes, plans
4. continent
5. conjonction de coordination
6. prendre de nouveau
10. importants, pressants
11. agence centrale de renseignements, service d'espionnage aux États-Unis
13. cher, coûteux, dispendieux
18. lère personne d'**avoir**, au présent
19. abréviation pour **avant midi**, du latin *ante meridiem*

Leçon 

ÉTUDE DU LEXIQUE

Récrivez la lettre suivante en remplaçant les mots soulignés par une phrase équivalente.

Cher Antoine,

Dimanche soir, nous avons fait la veillée chez un ami qui tient un restaurant. Le métier de restaurateur est un métier agréable quand on ne se soucie pas d'être maigre. Il nous a servi des morceaux de jambon, des viandes grillées et du champagne. Moi, j'adore sentir les bulles me chatouiller le nez! Quelle différence avec le restaurant de l'école, où l'on se sent comme un condamné à cause de la nourriture lourde et décomposée qu'on nous sert, où les étudiants crient et s'enivrent de mauvais vin, où il faut presque faire venir une litière après y avoir mangé! Quel supplice! Chez mon copain, c'était le contraire: il avait un tas de mets délicieux à nous offrir. J'ai été satisfait après le repas, mais ma copine a tant mangé qu'elle a failli éclater! C'est pourtant un bon antidote contre la tristesse causée par les obsèques de la semaine dernière; elle avait perdu une tante et il fallait qu'elle aille à l'inhumation. C'était même elle qui a dû choisir la bière! Quand on perd un être aimé, il est vraiment dégradant d'aller chez un marchand sans culture pour discuter le prix des bières! Quelle détérioration de ses énergies! Quel dégoût j'ai pour ceux qui profitent du chagrin des autres! Je pourrais continuer sur ce sujet, mais ce n'est pas la meilleure méthode d'écrire une lettre. Je crois qu'elle s'est libérée un peu de son chagrin.

Avec cette lettre, je t'envoie une copie de mon livre avec une petite inscription pour toi.

Je t'embrasse,

Guilain

Cher Antoine,

Nom ______________________ Classe ____________ Date ____________

GRAMMAIRE

I. Le subjonctif présent

A. Vous engagez une gardienne d'enfant. Donnez-lui des directives à l'égard du travail que vous exigez.

Exemple: Vous arriverez à midi. Il le faut.
Il faut que vous arriviez à midi.

1. Vous préparerez le déjeuner de Marcel. Je vous le demande. ____________

____

2. Il devra être sage. Je le voudrais. ____________

____

3. Il mangera ses légumes. Je le souhaite. ____________

____

4. Il boira son lait. Je l'exige. ____________

____

5. Vous ferez une promenade avec lui. Je le désire. ____________

____

6. Il sera un peu fatigué après. Je le comprends. ____________

____

7. Mais il ne doit pas dormir avant 15h. Il est essentiel. ____________

____

8. Vous n'aurez pas de difficultés avec lui. Je ne le crois pas. ____________

____

9. Marcel est un enfant sage. Je le pense. ____________

____

10. Vous suivrez mes conseils. Il est important. ______________________

____

11. Vers 20h, vous remplirez la baignoire et vous le laverez. Il sera préférable.

____

12. Vous le mettrez au lit vers 21h. Il est nécessaire. ______________________

____

13. Vous ne sortirez pas pendant qu'il dort. Je ne le permettrai pas. __________

____

14. Pourriez-vous veiller jusqu'à mon retour? Croyez-vous? ______________

____

B. Vous êtes la gardienne de Marcel. Donnez-lui des recommendations.

Exemple: Tu mangeras tes légumes. Il est nécessaire.
Il est nécessaire que tu manges tes légumes.

1. Tu boiras ton lait. Ta maman le voudrait. ______________________

____

2. Tu finiras tes carottes. Il importe. ______________________

____

3. Nous ferons une promenade ensemble. Maman en sera contente. ________

____

4. Je te lirai un conte de fées. Veux-tu? ______________________

____

5. Tu devras être sage. Il est souhaitable. ______________________

____

6. Je répondrai à tes questions. Veux-tu? ______________________

____

7. Je mettrai le couvert à 18h30. Es-tu d'accord? ______________________

____

8. Tu prendras ton bain à 20h. Maman aime mieux. ____________________

____

9. Maman reviendra avant minuit. Je n'en suis pas sûre. ________________

____

10. Tu seras au lit quand elle reviendra. Il est essentiel. _________________

____

11. Je partirai après que Maman sera de retour. Il est naturel. ______________

____

12. Je remplirai mes obligations. Ta maman le souhaite. _________________

____

C. Vous racontez à un camarade les problèmes d'un couple que vous connaissez, Catherine et Bernard. Employez le subjonctif ou l'indicatif selon le cas.

Exemple: Ils ont des difficultés. J'en ai peur.
J'ai peur qu'ils aient des difficultés.

1. Bernard boit un peu trop. Catherine me le dit. ______________________

____

2. Elle sort avec un autre type depuis quelques semaines. Je suis sûr. ______

____

3. Bernard devient dépressif. Je le crains. ____________________________

____

4. Catherine a un amant. Je le comprends. ____________________________

____

5. Catherine est infidèle. Mais Bernard l'accepte. ______________________

____

6. Bernard perdra sa situation. Il se peut. ____________________

____

7. Elle veut divorcer. J'en suis affligé. ____________________

____

8. Ils peuvent sauver leur mariage. Je n'en suis pas sûr. ____________

____

9. Ils iront se faire conseiller. J'en serais heureux. ______________

____

10. Ils veulent sauver leur mariage. Il est urgent. ______________

____

11. Ils se comprendront mieux bientôt. Je l'espère. ______________

____

12. Il faut aller chez un psychologue. Je le pense. ______________

____

II. Le subjonctif passé

A. Exprimez votre opinion sur les activités d'un ami.

Exemple: Nous sommes allés au restaurant. (J'en suis content.)
Je suis content que vous soyez allés au restaurant.

1. Nous nous sommes beaucoup amusés. (J'en suis heureux.) ________

____

2. Nous avons dîné chez Fouquet. (Il est bon.) ______________

____

3. Nous avons commandé du saumon. (Je l'approuve.) ____________

____

Nom ____________________ Classe ____________ Date ____________

4. Nous avons bu du champagne. (Je le comprends.) ____________

____

5. Nous sommes rentrés après minuit. (Je l'admets.) ____________

____

6. Le lendemain, nous avons eu très mal à la tête. (Il est normal.) ____________

____

7. Nous ne sommes pas sortis avant 14h. (Il est dommage.) ____________

____

8. Nous avons manqué notre autobus. (Il est triste.) ____________

____

9. Nous avons été bien tristes. (Je le regrette.) ____________

____

10. Nous avons appris notre leçon. (J'en suis content.) ____________

____

THÈME

Donnez l'équivalent en français des phrases suivantes.

1. He would like me to go to the movies with him. ____________

____

2. It is essential that you know your lessons. ____________

____

3. My teacher wants us to participate in the competition. ____________

____

4. I'm sorry these vegetables are all rotten. ____________

____

5. It is too bad there is no more ham. ______________________________

____

6. We're glad they had a good time last night. ______________________

____

EXERCICES PRATIQUES

A. Vous projetez un séjour de quatre jours à Tours, et vous avez un budget moyen. Étudiez la liste de restaurants divers de la région et répondez aux questions suivantes. Lisez rapidement chaque description et essayez d'en comprendre le sens global sans vous référer au dictionnaire.

1. Pourriez-vous dîner au "Barrier"? Pourquoi? ____________________

   ____

2. Pourriez-vous dîner à l'Antidote mercredi soir? Pourquoi? __________

   ____

3. Que pensez-vous des Trois-Rois? ____________________________

   ____

4. Si vous aimez le poisson, où faudra-t-il que vous alliez? ____________

   ____

5. Où pourriez-vous aller à n'importe quelle heure de la journée? ________

   ____

6. Où peut-on prendre le thé? _________________________________

   ____

7. Qu'est-ce qu'on peut manger avec le thé? _______________________

   ____

8. Où est-ce que vous ne pourrez pas manger le lundi? _______________

   ____

Nom ______________________ Classe ______________ Date ______________

Restaurants Brasseries et Divers de Tours

(par ordre alphabétique)

RESTAURANTS

L'ANTIDOTE - I-6
39, rue du Grand-Marché (Vieux Tours) - **Tél. 37-54-64** - Salle avec cheminée dans une maison classée du XVe - Repas (30 à 76) - Carte prix moyen (35) - Plats garnis à partir de (20) - Service 5 % en sus - Entrée à partir de (10) - Fermé mardi soir et mercredi soir - Ouvert dimanche et fêtes - Carte bleue.

LES ANTILLES - J-6
Spécialités antillaises.
8, rue de la Rôtisserie (Vieux Tours - Plumereau) - **Tél. 64-37-04** - Repas (58 à 82) S.T. compris - Carte prix moyen (115) - Carte bleue - Ouvert jusqu'à 23 heures.

ARCADE - T-12
Hôtel - Restaurant - 1, rue Georges-Claude - Cente ville (Gare) - **Tél. (47) 61-44-44** - **Télex : 751 201** - Repas (47 à 60) S.T. compris et (55 à 68) S.T. et boisson compris - Menu enfant (30) S.T. compris - Carte prix moyen (70) - Salle de réunion - Séminaires - Insonorisation - Parking - Carte bleue - Restaurant femé samedi et dimanche.

L'ARC-EN-CIEL - O-11
Restaurant ✱
2, place des Aumônes - Bar - Restaurant - Centre ville (Gare) - **Tél. 05-48-88** - Repas (45.50 à 150) S.T. compris - Carte prix moyen (90 à 100) - Repas pour groupes tous les jours - Carte bleue - Visa - Fermé les vendredis soirs et les dimanches soirs - Ticket Restaurant.

LES BALKANS - O-4
Restaurant - 25, rue Lavoisier (Cathédale) - **Tél. 47-18-80** - Repas (50 et 80) S.T. compris - (60 à 90) S.T. et boisson compris - Carte prix moyen (80) - Spécialités yougoslaves, grecques, hongroises - Ambiance slave - Fermé le mardi - Salle pour banquets - Carte bleue

« BARRIER » (1)
Restaurant ✱✱✱✱ Luxe
101, avenue de la Tranchée (périphérie nord) - **Tél. 54-20-39** - Bar - Restaurant - Menus (275 à 350) + 15 % de service - Carte prix moyen (320) + 15 % de service - Rôtisserie - Spécialités - Parking - Jardin - Fermé dimanche soir et lundi - Fermeture annuelle en janvier et la première semaine d'août - American-Express - Diners-Club - Visa.

LA BIDOCHE - I-7
18, rue de la Longue-Echelle (Vieux Tours) - **Tél. 64-44-09** - Restaurant - Spécialités de viandes - Menu (74 à 77) S.T. compris - Menu repas d'affaires (50) S.T. et vin compris - Carte prix moyen (150) - Tous les jours - Service (12 heures à 13 h 30 et 19 h 30 à 23 heures) - Eurocard - Carte bleue - American-Express - Diners-Club - Ticket-restaurant.

LA TOUR D'AUVERGNE - W-14
Restaurant - Bar - 153, rue de la Fuye - **Tél. 46-02-07** - Repas (38 à 51) S.T. compris - Carte prix moyen (75) - Salle 70 pers. - Banquets - Mariages - Repas d'affaires - Réunions - Sur réservation - Ticket Restaurant - Fermé le samedi et dimanche sauf pour les repas de groupes.

LES TROIS-ROIS - J-7
Pub - Glacier - Place Plumereau (Vieux Tours) - **Tél. 20-61-20** - Bar anglais - Spécialités - Cocktails exotiques - Glaces composées - Bière anglaise à la pression - Musique d'ambiance - Service 12 heures à 1 heure du matin - Pub et caveau aménagés dans une maison du XVe siècle.

LE TROU NORMAND - R-10
Restaurant de l'hôtel « Le Normandie » - Logis de France - 18, rue Edouard-Vaillant (Centre ville) - (Gare) - **Tél. 05-47-23** - Repas (45 à 130) S.T. compris - (55 à 140) S.T. et boisson compris - Carte prix moyen (100) - Pension à partir de (180) - Demi-pension à partir de (145) - Fermé tous les jours de 15 heures à 18 heures - Fermé le dimanche - Eurocard - Carte bleue.

LES TUFFEAUX - O-4
Restaurant ✱ - 19-21, rue Lavoisier (Cathédrale) - **Tél. 47-19-89** - Carte prix moyen (150) prix net - Spécialités de poissons - Fermé les dimanches et lundis, sauf jours de fête.

RESTAURANT VIEN-DONG - O-13
Restaurant - 29, rue Grécourt - **Tél. 05-50-75** - Repas (75 à 85) S.T. compris - (85 à 95) S.T. et boisson compris - Carte prix moyen (90) - Ouvert de 12 h à 14 h et de 19 h à 22 h - Spécialités est-asiatiques - Fermé le dimanche midi et le mercredi toute la journée - Carte bleue.

BRASSERIES

CHANTECLER - O-13
38, avenue de Grammont - Centre ville - **Tél. 05-59-56** - Repas (52 à 130) S.T. compris - Carte prix moyen (60) - Viande grillée - Spécialités de poissons et de fruits de mer - Service jusqu'à minuit - Carte bleue - Ouvert toute l'année.

LA COUPOLE - O-13
32, avenue de Grammont - Centre ville **Tél. 05-15-28** Plat du jour (20,85) - Service 12 % en plus - Carte - Snack - Terrasse - Fermé les vendredis soirs en hiver - Ouvert de 7 h le m-tin à 1 h du matin.

LE HELDER - M-5
7, rue Nationale - Centre ville - **Tél. 05-75-90** - Repas (39,60 à 81) S.T. compris - (48) S.T. et boisson compris - Carte prix moyen (80 à 100) - Ouvert de 7 h 30 à 2 heures du matin tous les jours - Spécialités.

BRASSERIE-RESTAURANT DE L'UNIVERS - N-10
Restaurant ✱
8, place Jean-Jaurès (Centre ville) - **Tél. 05-50-92 et 05-59-00** - Repas (50 à 130) S.T. compris - Carte prix moyen (90 à 120) - Repas servis de 12 h à 15 h et de 19 h à 0 h 30 - Spécialités de poissons, grillades et de choucroute - Carte bleue - Visa - Eurocard - Ouvert toute l'année.

PALAIS DE LA BIERE - J-9
Café - Brasserie - 29, place G.-Paillhou (Halles) - **Tél. 61-50-48** - Spécialité de choucroute (37) S. non compris - Choix de plus de 200 bières - Service de choucroute jusqu'à minuit - Ouvert jusqu'à 2 h - Chèques Restaurant - Fermé dimanche et lundi.

LA TAVERNE DE MAITRE KANTER - M-6
48, rue Nationale (Centre Ville) - **Tél. 05-66-84** - Repas (60 à 90) S. non compris - Viandes grillées - Spécialité de choucroute - Ambiance alsacienne - Carte Bleue - American Express - Chèque Restaurant - Ouvert de 10 h à 2 h du matin - Fermé dimanche et lundi.

TAVERNE WALSHEIM - O-18
108 bis, avenue de Grammont - **Tél. 05-31-28** - Spécialites alsaciennes - Repas (50 à 180) S.T. compris - Repas (56 à 200) S.T. et boisson compris - Carte prix moyen (85) - Service 11 h 30 à 15 h 30 et 18 h 30 à 24 h et 1 h - Carte bleue - Visa - Eurocard - Chèques Vacances - Chèques Restaurant - Fermé les lundis.

CREPERIES

« LA BIGOUDEN » - J-6
3, rue du Grand-Marché (Vieux Tours) - **Tél. 64-21-91** - Spécialité crêpes, galettes et glaces maison - Salades - Cidre pression - Fermé dimanche midi et mercredi toute la journée - Service midi et soir - Chèque Restaurant.

COTE JARDIN - O-4
151, rue Colbert (près Historial de Touraine) - **Tél. 66-77-31** - Spécialité galettes de blé noir - Salades - Omelettes - Glace - Décor jardin - Repas (15 à 35) S.T. compris - Repas (25 à 44) S.T. et boisson compris - Carte prix moyen (35) - Menu rédigé en anglais - Service 12 h à 15 h et 17 h à 0 h 30 - Ticket Restaurant - Travellers - Carte Bleue - Fermé dimanche jusqu'à 17 h et lundi hors saison - Près parking.

LE DOLMEN - O-18
63, rue du Hallebardier (près du Palais des Sports) - **Tél. 66-60-37** - Spécialités - Crêperie bretonne - Jardin - Parking - Fermé les lundis.

L'ESCABEAU - J-6
Crêperie - 23, rue de la Monnale - (Vieux Tours) - **Tél. 61-45-37** - Cadre XVe - Menus de galettes, crêpes et coupes glacées - Spécialités - Repas (27,50 à 51) prix nets - (37 à 60,40) boisson comprise - Prix nets - Fermé dimanche midi et lundi - Chèque Restaurant accepté.

L'ETRIER - J-7
33, place du Grand-Marché (Vieux Tours) - **Tél. 66-36-35** - Prix (6 à 28) l'unité, 12 % de service en sus - Service 12 h à 14 h et 18 h 30 à 1 h du matin - Spécialités galettes de blé noir - Crênes sucre - Glaces - Grand choix - Fermé le dimanche et lundi midi - Carte Bleue - Ticket Restaurant - American Express - Diners Club.

B. Vous décidez de choisir un des quatre restaurants décrits à la page suivante. Lisez rapidement chaque description en essayant d'en comprendre le sens global sans vous référer au dictionnaire. Ensuite, répondez aux questions suivantes.

1. Lequel choisissez-vous et pourquoi? ______________________________

____

____

____

2. Décrivez l'ambiance. ______________________________________

____

____

____

3. Décrivez les spécialités de ce restaurant. ______________________

____

____

____

4. Quels jours est-il ouvert? __________________________________

____

5. À quelle heure ferme-t-il? __________________________________

____

6. Quel est le prix moyen d'un repas par personne? ______________

____

Nom ______________________ **Classe** ______________ **Date** ______________

COUCHE-TOT <<CLASSIQUE>>

L'ESCARGOT BORDELAISE
4, rue Paul-Chartrousse

92200 NEUILLY
Tél. : 624 48 11

Fermé le samedi et dimanche
Dîner jusqu'à 21 heures

Une bonne adresse, sans risque, où la continuité d'une cuisine traditionnelle est à l'honneur depuis 11 ans. Dans cette période de << changement >>, Mme JONCOUR est toujours fidèle à son poste et à ses clients. Pas de sophistication dans le décor, style bistrot avec des tables rapprochées les unes des autres (excepté 2 tables à réserver à l'entrée), une lumière assez vive, pour découvrir ce qui est bon dans votre assiette. Et c'est là l'important.

Pas de menu, mais une carte avec un choix de plats à des prix accessibles. Dans les entrées, bien sûr les escargots, la salade aux lardons, les filets de harengs pommes chaudes, le foie gras de canard, la coquille de crabe à la russe... Les poissons " raie au beurre noir, sole meunière... mais surtout des plats cuisinés, un peu comme autrefois: échine de porc aux lentilles, cervelle de veau meunière, brochette de rognons d'agneau grillés, foie de veau à l'anglaise, escalope de veau épinards... Des desserts de << grand'mère >> et une sélection de vins abordables dont un petit Bordeaux, un Beaujolais Village, ou un Côtes du Rhône.

Prix moyen : F 100, -- par personne.

COUCH-TOT << RELAX >>

LA FICOTIÈRE
17, rue Jean-Giraudoux
75016 PARIS
Tél. : 723 66 55

Fermé le samedi et dimanche
Dîner jusqu'à 22 heures

Une formule particulièrement intelligente, d'un excellent rapport qualité-prix avec une recette apparemment très simple: un zeste de séduction, des plats sympathiques, des prix très accessibles, malaxés dans une simplicité de bon ton.

Ouvert en juin 1978, la FICOTIÈRE (M. FICOT, en cuisine et Madame à l'accueil), a fait déjà ses preuves pour ne pas être un nouveau << feu de paille >> dans la restauration parisienne. Je l'aurais certainement appelé la << Bonbonnière >>, tant les deux salles paraissent sortir de dessins pour jeunes filles modèles, avec petits bouquets de fleurs sur les tables, papier indien au mur, du liberty gentil sous les nappes blanches, des appliques en forme de pamplemousse et une dominante de couleur blanche, qui redonnent une virginité ou une nouvelle jeunesse à clientèle bon chic-bon genre. C'est simple, gai, frais et agréable.

Ne vous attendez pas pour autant à un service exemplaire, la formule amusante du buffet de hors d'œuvres avec un grand choix de fruits de mer, de légumes, de terrines... vous oblige à quitter la sacro-sainte table pour participer à une chasse courtoise, en toute liberté. Mais les jeunes filles préposées au service rétablissent bien vite les usages de la restauration traditionelle, en vous apportant le plat chaud. Un assez gand choix contre-filet grillé, manchons de canard confit, brochette de bœuf, rouget grillé (selon arrivage); des plats du jour: contre-filet au roquefort, choucroute de poisson... suivis d'un dessert: Ile flottante, tarte maison... Selon votre humeur ou votre penchant <<pantagruelique >>, vous << arroserez >>plus ou moins votre dîner d'un GAMAY de Touraine très correct, que vous aurez tiré au fût dans un pichet à << fleurs>>.

Prix du menu : F 75,-- par personne (vin et service compris).

COUCHE-TARD << SOPHISTIQUÉ >>

LA MAISON DES FOIES GRAS
7, rue Gomboust
75001 PARIS
Tél. : 261 02 93

Fermé le dimanche
Dîner jusqu'à 23 h 30

Les modes passeront, mais le foie gras restera, je le souhaite, le plat de la fête, de l'estime et du goût. J'éprouve toujours quelques complexes de supériorité pour juger un foie gras, car j'ai le privilège fort rare d'en déguster, chaque année, d'exceptionnels, préparés pour le plaisir, par ma famille. Néanmoins, et en toute objectivité, j'ai aimé la maison des Foies Gras, ouverte en mars 1980, par Pascal BRION.

La petite salle de restaurant n'a absolument pas l'aspect rustique auquel on aurait pu s'attendre. Tout au contraire, les murs laqués de bordeaux, les tables bien dressées, le personnel stylé, créent une atmosphère assez raffinée, qui convient à la clientèle élégante du restaurant.

Tous les plats tournent autour du foie gras, et des << ansériformes >> (oies, canards), mais ils sont préparés avec un souci de légèreté et adaptés aux légumes de saison. A la carte, je vous conseille: le magret de canard cru mariné à la menthe, la salade folle (salade, haricots verts, gésiers et foies gras de canard) ou pourquoi pas le foie gras de canard entier au naturel. Dans les plats: les escalopes de foie gras de canard aux raisins, le magret de canard au cidre et aux pommes, le ragoût de ris de veau aux écrevisses... Et pour garder la note raffinée, le délicieux sorbet s'impose. Une belle cave, mais je vous recommande le MADIRAN 74 ou le Bourdeaux 75 MALESAN, Grand Prestige.

Prix moyen : F 150,-- par personne.

AUBERGE DAB
161, av. de Malakoff
75116 PARIS
Tél. : 500 32 22
500 36 57

Ouvert tous les jours
Dîner jusqu'à 2 heures

Une bien belle auberge ouverte en octobre 1980, à la place d'une << psuedo-pizzeria >>. Gérard IE, le maître des lieux a réussi à créer un décor mi-brasserie - mi-restaurant, conçu autour de magnifiques boiseries. La grande taille du restaurant n'apparaît jamais démesurée, car vous pouvez dîner à plusieurs niveaux et même dans des boxes un peu isolés, très confortables avec fauteuils et banquettes recouverts de cuir. Pour goûter un peu plus d'intimité et un peu moins de musique, je vous recommande les boxes de 1er étage. L'atmosphère à la fois simple, gaie et de bon goût est assurée par une clientéle assez <<16 >> et confortée par un personnel agréable et efficace, parfaitement dirigé par Marc BARBIER.

La cuisine, assez traditionelle, est préparée, en général, avec des produits bien choisis. La carte laisse toute liberté pour satisfaire à moindre prix les envies d'un soir, sauf si l'on se hasarde à vouloir <<taquiner>> les fruits de mer (très frais). Par sagesse, je conseille le hareng de la mer du Nord, la salade frisée aux gésiers confits, croûtons aillés, l'avocat aux Saint-Jacques émincées, tarte aux oignons à l'alsacienne... l'entrée du jour... Un choix de poissons, mais j'opte pour les spécialités: les trois choucroutes maison, un cochon de lait au feu de bois. Dans les desserts: tartes, gâteaux et sorbets. Un bon point dans la recherche des vins, abordables dont un Côtes de Frontonnais.

Prix moyen : F 110,-- par personne.

C. À la fin de votre repas, on vous donne la petite carte ci-dessous. Évaluez votre expérience dans le restaurant. Servez-vous de votre imagination pour faire des commentaires et recommendations. Vous pouvez ajouter d'autres commentaires en-dessous.

Afin de mieux satisfaire,
nous aimerions recevoir vos commentaires.

VOTRE ÉVALUATION

	Excellent	Bon	Passable
Accueil rapide	☐	☐	☐
Accueil courtois	☐	☐	☐
Rapidité du service	☐	☐	☐
Qualité du service	☐	☐	☐
Qualité du la nourriture	☐	☐	☐
Propreté des lieux	☐	☐	☐
Température des aliments	☐	☐	☐
Qualité - prix	☐	☐	☐

Vos commentaires et recommandations

Date de votre visite_______________Heure________

Facultatif
Nom: ______________________________
Adresse: ____________________________
Code postal: ________Tél.: _______________

P. S. Déposer dans la boîte près de la caisse.
<< MERCI DE NOUS AVOIR CHOISI >>

Dites ce que vous avez mangé.

____

____

____

____

____

Nom ______________________ Classe ______________ Date ______________

D. Vous n'avez pas très faim. Écrivez votre choix ci-dessous et calculez combien le repas vous coûtera. Ajoutez 15% pour le pourboire. Référez-vous à la petite carte qui suit.

Les entrées

Champignons farcis	2.95
Champignons à la provençale	2.75
Zucchinis gratinés	2.50
Quiches au choix (Lorraine, asperges, épinards ou fruits de mer)	2.75
Trempettes de crudités (légumes variés)	1.95
Salade César (à la façon de Pacini)	2.95
Cannelloni gratiné	2.95

Les soupes

Jus de tomate		.95
Soupe du jour		.95
Minestrone		1.25
Soupe à l'oignon gratinée	(bol)	2.50
	(tasse)	1.50

Les breuvages

Café *ou* thé	.85
Lait	.85
Liqueurs douces	.85
Espresso	1.00
Capuccino	1.25
Eau Perrier	1.35

De notre chariot

Les gâteaux	2.25
Le Forêt Noire	2.50
Le gâteau fromage	2.50
Les feuilletés	2.25
Les tartes	1.45
Crème glacée	1.25
Salade de fruits	1.50

LES SUPPLÉMENTS

Crème douce, crème fouettée, ou crème glacée à la vanille	.75

____

____

____

____

____

____

Leçon 

ÉTUDE DU LEXIQUE

A. *Une visite à Tokyo.* Remplacez les mots soulignés par une expression équivalente.

De façon tout à fait inattendue, en profitant d'un billet de lotterie dans une revue que j'ai ramassée dans le métro, je me trouve à Tokyo pour la première fois. Il faut se tirer d'affaire ici, car la ville est troublante. Qu'est-ce que je fais? Je fais le curieux, en errant dans les rues, je note les différences entre les moeurs japonaises et celles de mon pays. Combien de bizarreries on rencontre ici! Comme je ne fais pas de dépenses outre mesure, j'utilise l'ensemble de lignes du métro. Comme je n'appartiens pas à cette ville, j'observe les caractéristiques de ce peuple curieux. Quand on a un mal de gorge ici, on se couvre la bouche et le nez avec un masque! On regarde sans indulgence une personne qui tousse en public. J'ai des impressions passagères que j'essaie de noter ici. Tout se passe comme dans un rêve.

Je vais souvent au restaurant, car j'aime la nourriture de qualité, mais j'arrive à économiser des yens, car le téléphoniste à mon hôtel m'a indiqué l'endroit où il mange. Il a des qualités que j'admire. Je lui demande souvent comment il va. Il m'a appris que dans le temps, il était représentant de commerce, mais que son médecin lui a ordonné de prendre un travail moins fatigant. Il m'a donné de l'aide financière une fois et je lui ai rendu son argent. Chaque jour, il me résume le journal, car je ne lis pas le japonais.

____

____

Nom ______________________ Classe ______________ Date ______________

B. Complétez les phrases suivantes.

1. Je savais qu'il avait un complexe quand il ______________________

____

2. Pour avoir un permis de conduire, il faut ______________________

____

3. Le frein de ma voiture ______________________________

____

4. J'ai pris un comprimé, parce que ______________________

____

5. Si l'on regarde l'envers de cette nappe, ______________________

____

GRAMMAIRE

I. Conjonctions qui gouvernent le subjonctif

A. Vous décrivez un nouvel ami à un de vos parents.

Exemple: Je te le décris pour que tu ... (pouvoir l'apprécier)
Je te le décris pour que tu puisses l'apprécier.

1. Je te le décris afin que tu ... (pouvoir l'imaginer)

____

2. J'étais seul avant qu'il ... (venir dans ma vie)

____

3. Je te le décris de sorte que tu (le reconnaître un jour)

____

4. Il est toujours ponctuel à moins qu'il ... (n'y avoir une bonne excuse)

____

5. Il étudie jusqu'à ce qu'il ... (comprendre de quoi il s'agit)

____

6. Il travaille beaucoup bien qu'il ... (être fatigué)

____

7. Il semble avoir toujours de l'énergie quoiqu'il ... (remplir toutes ses obligations) _______________________________________

____

8. Il me surveille de peur que je ... (ne trop boire)

____

9. Il me surveille de crainte que je ... (ne faire des folies)

____

10. Un jour, il m'a rendu un grand service sans que je ... (le savoir)

____

B. *Une belle rencontre.* Complétez le passage suivant avec le subjonctif, l'indicatif, ou l'infinitif, selon le cas.

Avant que je _______________ (arriver) en France, j'ai étudié le français afin _______________ (pouvoir) le lire. Après que je _______________ (arriver), il a fallu continuer, pour que _______________ (savoir) ce qui se passait. Aussitôt que je _______________ (commencer) à bien comprendre, je _______________ (faire) la connaissance d'un jeune homme. On a commencé à se voir régulièrement à moins qu'un de nous _______________ (n'être) occupé. Sans que je le _______________ (savoir) il avait planifié un grand voyage afin _______________ (pouvoir) perfectionner son anglais. Pendant qu'il _______________ (faire) ses projets, moi, j'étudiais le français de façon très sérieuse. Finalement, il m'a dit qu'il _______________ (aller) en Angleterre avec moi à condition que je

________________ (finir) mes cours, car il ne voulait pas que je

________________ (arrêter) à mi-chemin. J'ai pensé que son geste

________________ (être) généreux.

II. Le subjonctif dans les propositions indépendantes et avec le superlatif

A. Vous êtes à une fête et on vous demande de proposer un toast. Employez le subjonctif selon l'exemple.

Exemple: Écoutez-moi! (tout le monde)
Que tout le monde m'écoute:

1. Taisez-vous! (tous) ______________________________
2. Prenez votre verre! (tout le monde) ______________________________

____
3. Faisons un toast! (tout le monde) ______________________________
4. Soyez heureux! (tout le monde) ______________________________
5. Soyez prospères! (tous) ______________________________
6. Vivez en paix! (tout le monde) ______________________________
7. Vivez longtemps! (tous) ______________________________

B. Faites le portrait d'une personne admirable. Faites des phrases avec les suggestions ci-dessous.

C'est la seule (unique) personne qui....

1. être si gentille ______________________________
2. savoir tant de choses ______________________________

____
3. valoir la peine d'être connue ______________________________
4. avoir tant de patience ______________________________

____
5. me connaître à fond ______________________________

____

6. me recevoir à n'importe quelle heure ______________________________

____

7. pouvoir m'aider avec mon travail ______________________________

____

8. finir son travail à temps ______________________________

____

9. vivre si tranquillement ______________________________

____

10. faire une si bonne impression sur moi ______________________________

____

III. Le subjonctif hypothétique et les expressions avec *n'importe*

A. Décrivez l'amour que vos parents ont pour vous et vos frères et soeurs.

Exemple: Nous pouvons faire n'importe quoi, ils nous aimeront.
Quoi que nous fassions, ils nous aimeront.

1. Nous pouvons voir n'importe qui, ils nous aimeront. ______________

____

2. Nous pouvons aller n'importe où, ils nous comprendront. ______________

____

3. Nous pouvons aimer n'importe qui, ils les accepteront. ______________

____

4. Nous pouvons faire n'importe quel métier, ils soutiendront notre choix.

____

5. Nous pouvons avoir n'importe quelles idées, ils nous écouteront. ________

____

Nom ______________________ Classe ____________ Date ____________

6. Nous pouvons dire n'importe quoi, ils seront toujours là. ____________

____

7. Nous pouvons vivre n'importe où, ils viendront nous voir. ____________

____

8. Nous pouvons connaître n'importe qui, nos amis seront les bienvenus chez eux. ____

____

9. Il pourra arriver n'importe quoi, nous pourrons compter sur eux. ________

____

10. Nous pourrons faire n'importe quoi, ils nous aimeront toujours. ________

____

B. Vous désirez employer une personne compétente, une personne capable d'accomplir un certain nombre de choses dans votre entreprise. Vous parlez à un collègue au téléphone. Employez les expressions "Je cherche une personne qui...", "Connaissez-vous quelqu'un qui...?" et finissez vos phrases avec les suggestions données ci-dessous.

1. pouvoir travailler tard ______________________________

____

2. être compétent ______________________________

____

3. être patient ______________________________

____

4. être méticuleux ______________________________

____

5. avoir une voiture ______________________________

____

6. pouvoir se déplacer ______________________________

____

7. savoir se servir d'un ordinateur ______________________________

____

8. faire un travail rapide et valable ______________________________

____

9. obéir à son chef ______________________________________

____

10. dire la vérité ______________________________________

____

THÈME

Donnez l'équivalent en français des phrases suivantes.

1. Study until you are too tired. ______________________________

____

2. He'll be on time unless there is an accident on the road. ______________

____

3. She got her driver's license without my knowing it. ______________

____

4. Sow the seeds now, so that you will have a good harvest. ______________

____

5. The doctor prescribed two pills every four hours so that my sore throat disappears.

____

____

Nom ______________________________ Classe ______________ Date ______________

EXERCICES PRATIQUES

A. Vous voulez faire du camping près de Québec. Étudiez la liste des sites et répondez aux questions qui suivent. Après avoir étudié le petit lexique suivant, essayez de deviner le sens des mots que vous ne connaissez pas sans vous référer au dictionnaire.

Petit lexique

- ☐ *disponible* libre
- ☐ *prise d'eau* robinet, tuyau où l'on peut prendre de l'eau
- ☐ *égout* canalisation servant à l'évacuation des eaux ménagères
- ☐ *puisard* égout

CAMPING

LOCALITÉ
NOM
TÉLÉPHONE

▲ Terrain gouvernemental
△ Membre de l'Association des terrains de camping du Québec
Λ Les autres

● Très ombragé
◒ Moyennement ombragé
○ Peu ombragé

● Sur les lieux
☐ À proximité (km)

RENVOIS		LOCALITÉ / NOM / TÉLÉPHONE	ROUTE D'ACCÈS	nombre d'emplacements—total	nombre de places disponibles	prix maximum (1984) (sans service) $	prix maximum (1984) (avec service) $	prix (1984) par personne additionnelle (+ de 4)	prises électriques	prises d'eau	égouts individuels	puisard central	toilette (eau courante)	toilette sèche	douches	foyer	feu de camp	salle communautaire	buanderie A—laveuse B—sécheuse	glace	gaz propane	épicerie	casse-croûte	service religieux	Terrain de jeux: avec équipement	Terrain de jeux: sans équipement	pique-nique	canotage
		QUÉBEC ET SES ENVIRONS (carte p. 23)																										
		SAINTE-FOY																										
	Λ ○	Piscine Auclair (418) 872-9530	138/V	96	96	14,00	14,00	2,00	96	60	60	1	●		4		●		AB	●		●	●	☐ 2		●	●	
		Aéroport (voir LAURENTIDES nº 8)	138/V																									
		SAINT-NICOLAS																										
	Λ ◒	Du Pont de Québec (418) 831-9010	20/311	90	43	10,00	12,00	2,00	90	90	3	1	●		6	●	●		AB	●		●	●	●	●	●	●	
	Λ ◒	Beaurivage (418) 831-2043	132	38	38	10,00	13,00	1,00	32	32	26		●		4			1	AB	●		●	●	☐ 6			●	
	Λ ◒	Imperial Trailer Park (418) 831-2969	132	40	40	11,00	14,00	2,00	35	35	26	1	●		4				AB	●		●	●	☐ 5	●	●		
		SAINT-ROMUALD																										
	Λ ○	La Relâche (418) 839-4743	132	55	39	10,00	13,50	1,50	31	31	25	1	●		4	●	●		AB	●		●	●	☐ 3	●	●	●	
		CÔTE-DE-BEAUPRÉ—ÎLE-D'ORLÉANS (carte p. 27)																										
		BEAUPORT																										
1	Λ ●	Municipal de Beauport (418) 663-2284	369/V	100	71	8,00	11,00	2,00	54	54	54	1	●		18	●		1	AB	●			●	●	●	●	●	●
		CHÂTEAU-RICHER																										
2	Λ ○	Piscine Turmel (418) 824-4311	138	120	40	10,00	11,50	2,00	120	120	60	1	●		14		●	1	AB	●		●	●	●	●	●	●	●
3	Λ ◒	Plage Jacques (418) 824-4072	138	36	6	10,00	14,00	2,00	36	36	18	1	●		4		●	1	AB	●		☐ 2	●	☐ 3	●	●	●	●
4	Λ ○	Grenier (418) 824-4043	138/V	70	50	10,00	15,00	2,00	70	70	70	1	●		4		●	1	AB	●		●	●	☐ 2	●	●	●	
		L'ANGE-GARDIEN																										
5	Λ ○	Plage Fortier (418) 822-1935	138/V	299	174	11,00	14,00	2,00	299	299	120	1	●		16		●	1	AB	●	●	●	●	●	●	●	●	
		SAINT-FERRÉOL-LES-NEIGES																										
6	▲ ◒	Mont Sainte-Anne (418) 827-4561	360	166	166	7,00	12,00		110	110	48		●		16	●		1	AB	●		●	☐16	☐ 2		●	●	●
		SAINT-FRANÇOIS																										
7	Λ ◒	Belle-Vie (418) 829-2953	368	80	55	10,00	12,00	1,50	75	70	45		●		4		●	1	AB	●			●	☐ 2	●	●	●	
		SAINT-JEAN																										
8	Λ ○	Saint-Jean (418) 829-2429	368	268	268	7,00	9,50	3.00	40			1	●		16	●	●	1	AB	●		☐ 4	☐ 4	☐ 5			●	

1. Que représente un petit triangle noir? ______________________________

____

____

2. Que représente un petit triangle blanc? ______________________________

____

____

3. Que représente un soleil noir? ______________________________

____

____

4. Que représente un soleil mi-noir, mi-blanc? ______________________

____

____

5. Que représente un rond noir? ______________________________

____

____

6. Combien coûte le terrain de camping à Saint-Jean? ________________

____

____

7. Peut-on y faire du canotage? ______________________________

____

____

8. Où peut-on faire du canotage? ______________________________

____

____

____

9. Décrivez le terrain Beaurivage à Saint-Nicolas. _________________

____

____

Nom ______________________ Classe ______________ Date ______________

____

____

B. Vous décidez d'obtenir votre certificat d'aptitude à la traduction professionnelle au Centre d'Enseignement des Langues Vivantes à l'Université Laval. Étudiez la description des cours ci-dessous et répondez aux questions suivantes.

DESCRIPTION DES COURS

TRD-14027 Grammaire et traduction I * 3 cr.
PR : Approbation de la direction

Révision grammaticale et initiation à la pratique de la traduction. Distinction entre traduction littérale et traduction exacte. Rappel des faits de langue dont la connaissance est indispensable au traducteur.

TRD-14028 Grammaire et traduction II * 3 cr.
PR : TRD-14027

Révision grammaticale et initiation à la pratique de la traduction. Distinction entre traduction littérale et traduction exacte. Rappel des faits de langue dont la connaissance est indispensable au traducteur. Textes plus difficiles.

TRD-14029 et 14030 3 cr. chacun
Grammaire, stylistique et traduction I et II *
PR : TRD-14028, TRD-14029

Utilisation des cadres de la stylistique comparée: les passages directs et indirects d'une langue à l'autre. Incidence des faits de culture sur les faits de langue.

TRD-14031 Traduction spécialisée I * 3 cr.
PR : TRD-14030

Comparaison méthodique des ressources grammaticales dont disposent le français et l'anglais pour rendre les mêmes notions. Étude méthodique des procédés d'expression qui caractérisent respectivement l'anglais et le français.

TRD-14032 Traduction spécialisée II * 3 cr.
PR : TRD-14031

Récapitulation des notions de stylistique comparée et utilisation des ressources du français en vue de la traduction dans différents domaines professionnels.

TRD-14033 et TRD-14034 3 cr. chacun
Version technique et terminologie I et II *
PR : TRD-14032, TRD-14033

Traduction de textes scientifiques, Établissement d'un fichier terminologique.

TRD-15719 Principes linguistiques de rédaction* 3 cr.
PR : TRD-14030

Perfectionnement de l'expression écrite en français. Le cours se propose de revoir les règles de la grammaire normative et d'étudier la propriété des termes à partir de textes empruntés à l'actualité. Dans cette perspective, il procédera au dépistage des anglicismes et autres formes fautives. Corrections typographiques et révision d'épreuves.

TRD-15720 Thème*
PR : Approbation de la direction

Initiation à la traduction pour l'anglais.

****

1. Qu'est-ce qu'il faut pour pouvoir suivre le cours de *Grammaire et traduction I ?*

____

____

2. Qu'est-ce qu'on apprend dans ce cours? ________________________

____

____

3. Combien de crédits reçoit-on pour chaque cours? ______________

____

4. Quel élément est-ce qu'on ajoute au cours *Grammaire, stylistique et traduction*? ______________________________

____

5. Si vous vous intéressiez à la médecine, quel cours serait le plus utile pour vous? Pourquoi? ______________________________

____

____

____

6. "Thème" veut dire la traduction d'un texte de sa langue maternelle dans une langue étrangère. Si l'on est francophone, en quelle langue faut-il traduire son texte dans le cours *Thème*? ______________________

____

____

7. Et si l'on est anglophone? ______________________________

____

Nom ______________________ Classe ______________ Date ______________

MOTS CROISÉS

Horizontalement

1. troublants
10. partie terminale du blé, du maïs, remplie de graines
11. pronom personnel indéfini de la 3e personne
12. 3e personne d'**aller**, au futur
13. endroit où on boit debout
14. contraire de l'**endroit**
16. **à + le**

17. stop
19. 3e personne de **servir** au présent
20. 3e personne d'**avoir**, au subjonctif
21. abréviation: Organisation gouvernementale (Québec)
22. étranger, qui n'est pas le même individu
23. pronom personnel de la 2e personne, employé comme complément
24. satellites célestes
25. aider
27. oiseau qu'on peut manger et d'où vient le pâté de foie gras
28. stupide
29. pronom personnel de la 3e personne, au singulier
30. symbole chimique du germanium
31. se mariera avec
37. abréviation: Union des républiques socialistes soviétiques
38. mal de gorge
42. le contraire de **mourir**
44. participe passé de **rire**
45. limite, trait allongé
47. période de 365 jours
48. tromper quelqu'un dans ses espoirs
49. constate, remarque

Verticalement

1. qui se tire d'affaire facilement, adroit
2. économise
3. substance avec laquelle on fabrique des chandelles
4. remarque, note
5. contraire de l'*endroit*
6. contraire de *raison*
7. élément de la négation en série
8. restaurateur
9. bondir, quitter le sol
15. époques, périodes de temps
18. petit récipient pour boire le thé ou le café
24. règle imposée par l'état
26. période pendant laquelle une assemblée délibérante tient séance
30. effet comique, rapide (Cinéma)
32. participe passé de **pouvoir**
33. décorer
34. États-Unis en anglais
35. mène quelqu'un à un endroit
36. saoul, exalté
39. le contraire d'**affirme**
40. étendue de terre entourée d'eau
41. autre nom du **moi** en psychanalyse
43. petit animal que les chats aiment chasser
46. élément de la négation en série

Leçon 

ÉTUDE DU LEXIQUE

L'Inconnu. Remplacez les mots soulignés par une expression équivalente.

Quel effroi j'ai eu hier soir! Il était minuit et je faisais un chandail en chantonnant, quand j'ai cru entendre crier quelqu'un qui errait autour de la maison. Dans les ténèbres du jardin, j'ai vu indistinctement une forme s'extraire des buissons; elle était presque invisible. Pour m'éclairer, j'ai brusquement allumé les lumières du jardin. Voulant explorer le problème afin de le résoudre, j'ai pris mon arme à feu. La nuit d'hiver me donnait froid et je tremblais. Je serais rentrée à la maison avec plaisir car je n'avais plus confiance en mes forces. Après avoir erré autour de la maison pendant une bonne demi-heure, je suis rentrée épuisée de fatigue. J'étais effondrée dans mon fauteuil, quand mon voisin est venu en courant, son front marqué de plis à cause de sa peur. Moi, j'étais plutôt impassible en le voyant. Il avait une lanière et des instruments à la main car il adore s'occuper à de petits travaux la nuit quand sa femme, qui parle beaucoup, est au lit. Celui qui s'adressait à moi m'a appris qu'il croyait avoir vu un fantôme portant un tissu léger au bord de l'eau. Nous vivons dans un milieu qui favorise de telles histoires. Comme je me moque de mes égaux et de ce qu'ils disent, je lui ai dit que le fantôme était peut-être sa femme. Il était vexé. Pourtant je n'ai toujours pas résolu le problème de cette créature.

Nom ______________________________ Classe _______________ Date _______________

GRAMMAIRE

I. Pronoms relatifs

A. Épurez le style très enfantin de cette lettre en éliminant les mots soulignés et en réduisant le nombre de phrases à l'aide des pronoms relatifs <u>qui</u>, <u>que</u> + une préposition si nécessaire. Changez la structure des phrases s'il le faut.

Chère Emanuelle,

Je t'écris une lettre. <u>Cette lettre</u> me fait de la peine. Tu te souviens de mon chien. J'adore <u>ce chien</u>. Alors, mon pauvre Médor a été écrasé par une voiture. <u>Médor</u> est si doux. <u>La voiture</u> roulait à 120 kilomètres à l'heure. Le chauffard ne s'est pas arrêté. Il était ivre. J'ai appelé la police. <u>La police</u> est venue rapidement. On a emmené le chien chez le vétérinaire. Je t'avais parlé <u>de ce vétérinaire</u>. J'y suis allé avec un copain. <u>Mon copain</u> est très serviable. Le vétérinaire a mis les deux pattes de derrière dans le plâtre. Je <u>lui</u> avais expliqué la situation. Ma mère est très chouette de s'occuper de lui. Médor se repose à présent <u>chez ma mère</u>.

Louis.

B. Vous êtes détective et vous décrivez la personne et son crime.

Exemple: Il s'agit d'une personne qui avait besoin d'argent.
La personne dont il s'agit avait besoin d'argent.

1. Il s'agit d'une personne qui voulait acheter de la drogue. _______________

____

2. Il est question d'une personne qui vendait de la drogue aussi. _______________

____

3. Les drogues coûtaient cher. Il avait besoin de ces drogues. _______________

____

4. Les drogues étaient hallucinogènes. Il avait envie de ces drogues. _______________

____

5. Les drogues produisaient un état psychédélique. Il se servait de ces drogues.

____

6. Le trafic des stupéfiants était très rentable. Il s'occupait de ce trafic. ______

____

7. Le trafiquant lui donnait certaines drogues gratuitement. Il était content de ce trafiquant. ____

____

8. Moi, je me suis déguisé en agent clandestin. Il avait peur de moi. ________

____

9. Voici un mouchoir. La drogue était recouverte de ce mouchoir. __________

____

10. À présent, ce cas est fermé. Je me souviendrai toujours de ce cas. ________

____

C. Vous décrivez les enfants de la maternelle à une nouvelle assistante pour qu'elle puisse mieux les comprendre.

Exemple: C'est Marie. Ses parents sont divorcés.
C'est Marie dont les parents sont divorcés.

1. C'est Dominique. Ses parents divorcent. ______________________

____

2. C'est Réginald. Son père est astronaute. ______________________

____

3. C'est Loulou. Sa mère est cadre. ______________________

____

4. C'est Agnan. Son père a gagné le prix Nobel. ______________________

____

5. Ce sont les jumeaux. Leur soeur cadette est aveugle. ______________________

____

6. C'est Pauline. Son cousin s'est suicidé. ______________________

____

7. C'est Xavier. Ses parents sont propriétaires de vignobles en Bourgogne.

____

D. Vous expliquez à votre fille pourquoi elle devrait écrire une lettre de remerciement.

Exemple: Les Brulots t'ont reçue de façon exemplaire.
La façon dont ils t'ont reçue était exemplaire.

1. Ils t'ont traitée de façon admirable. ______________________

____

2. Ils ont agi de manière admirable. ______________________

____

3. Ils t'ont servie de manière généreuse. ______________________

____

4. Ils t'ont hébergée de façon aimable. ______________________

____

5. Ils t'ont parlé de façon respectueuse. ______________________

____

6. Ils t'ont reçue de manière gracieuse. ______________________

____

E. Vous cherchez un appartement qui soit approprié à vos besoins. Décrivez-le à votre agent immobilier.

Exemple: Je cherche un appartement qui ait un jardin autour.
Je cherche un appartement autour duquel il y ait un jardin.

1. Je cherche un appartement qui ait un parking derrière.

____

2. Je cherche un appartement qui ait des arbres devant.

____

3. Je cherche un appartement qui soit près des magasins.

____

4. Je cherche un appartement qui ait un jardin derrière.

____

5. Je cherche un appartement qui ait une fontaine à côté.

____

6. Je cherche un appartement qui ait une cheminée au milieu.

____

F. Vous êtes dramaturge et vous décrivez votre pièce au metteur en scène. Refaites les phrases suivantes en remplaçant les mots en italique par les pronoms relatifs appropriés plus une préposition. Ajoutez d'autres mots, si nécessaire.

Exemple: Je voudrais un salon. *Dans ce salon*, il y aura des meubles anciens.
Je voudrais un salon dans lequel il y aura des meubles anciens.

1. J'ai interviewé deux actrices célèbres. Il fallait choisir *entre elles*. ________

____

2. J'ai choisi l'actrice la plus talentueuse. *Sans elle* la pièce serait moins émouvante. ________________________________

____

3. Quand le rideau se lèvera, il y aura plusieurs personnes. *Parmi elles* se trouvera la maîtresse de la maison, Madame Cagnon. ______________

____

4. Madame Cagnon a un fils. *Pour son fils* elle éprouve beaucoup de tendresse.

____

5. Elle a des amis appartenant au milieu littéraire. *Avec ses amis* elle sort souvent. ________________________________

____

6. C'est la raison. *Pour cette raison* , elle admire son fils. ______________

____

Nom ______________________ **Classe** ______________ **Date** ______________

7. C'est une pièce tragique. À la fin *de cette pièce*, le fils meurt. ____________

   ____

8. C'est une pièce dramatique. *Pour cette pièce* nous avons acheté des billets très chers. ______________________________

   ____

G. Vous décrivez un tableau à un ami qui ne pouvait pas vous accompagner au musée. Remplacez les pronoms relatifs par **où** + une préposition si nécessaire.

1. On voit un chemin par lequel arrive un chariot. ______________________

   ____

2. Il y a une étendue d'eau dans laquelle est plongé Icare. ______________

   ____

3. On voit une forêt de laquelle sortent des paysans. __________________

   ____

4. On voit une source par laquelle jaillit un jet d'eau. __________________

   ____

5. Il y a un sentier sur lequel se promènent des oies. __________________

   ____

H. Vous parlez à un ami du moment où vous avez fait la connaissance d'une personne importante dans votre vie.

Exemple: J'avais les cheveux longs à cette époque-là.
C'était l'époque où j'avais les cheveux longs.

1. J'ai fait sa connaissance à cette époque-là.

   ____

2. Je l'ai vu pour la première fois ce jour-là.

   ____

3. J'ai eu une prémonition à ce moment-là.

   ____

4. Il est venu dans ma vie à cet instant-là.

____

5. J'ai eu vraiment de la chance ce soir-là.

____

I. Finissez les phrases suivantes.

1. L'amour, c'est ce qui _______________________________
2. L'amour, c'est ce que _______________________________
3. L'amour, c'est ce dont _______________________________
4. L'amour, c'est ce à quoi _______________________________
5. La guerre, c'est ce qui _______________________________
6. La guerre, c'est ce que _______________________________
7. La guerre, c'est ce dont _______________________________
8. La guerre, c'est ce à quoi _______________________________

J. Vous décrivez une expérience à votre ami. Employez des prépositions composées.

Exemple: Je t'ai parlé au sujet de ce *monsieur* .
C'est le monsieur au sujet duquel je t'ai parlé.

1. On a trouvé une lettre d'amour parmi ses *papiers*. _______________

____

2. Je t'ai parlé au sujet de cette *lettre*. _______________________

____

3. On a trouvé un message sur la branche de cet *arbre*. _____________

____

4. J'ai dîné chez la tante de ce *monsieur*. _______________________

____

5. Il y a une morale au bout de cette *histoire*. ___________________

____

Nom ______________________________ Classe ______________ Date ______________

K. Vous avez une très mauvaise communication téléphonique en France. Exprimez votre frustration.

Exemple: Vous avez dit quelque chose.
Je n'ai pas compris ce que vous avez dit.

1. Il s'agit de quelque chose. ______________________________________
____
2. Vous avez crié quelque chose. ____________________________________
____
3. Quelque chose vous ennuie. ______________________________________
____
4. Quelque chose vous trouble. ______________________________________
____
5. Quelque chose est arrivé sur la ligne. _____________________________
____
6. Quelque chose se passe. ____
____
7. On a dit quelque chose. ____
____

II. Les pronoms démonstratifs

On vous a volé vos clés. Récrivez le passage suivant en remplaçant les mots soulignés par le pronom démonstratif approprié.

La personne qui a piqué mes clés va regretter son acte! Je suis obligé d'emprunter les clés de mon chef. La clé qui ouvre mon bureau avait mon nom dessus, mais la clé de mon chef est un passepartout. À mon avis, les gens qui jouent de telles farces ne sont pas du tout drôles! Mon chef me rappelle mon père sauf que mon père n'a pas de moustache et mon chef a peu de cheveux.

____

____

____

____

____

____

____

____

III. Pronoms indéfinis

A. Vous êtes à un colloque où deux sessions ont lieu en même temps. Une session est une réussite, l'autre un échec. Un collègue vous décrit celle-là tandis que vous lui décrivez celle-ci. Variez les pronoms indéfinis employés.

1. Tout le monde est venu. ______________________________

2. Monsieur Boule et M. Bille sont venus aussi. ____________________

____

3. Quelqu'un est arrivé vers la fin de la session. ____________________

____

4. Certains sont partis avant la fin. ____________________________

____

5. Quelques-uns ont trouvé la session intéressante. __________________

____

6. J'en ai parlé à quelques-uns à la fin. __________________________

____

7. Le dernier conférencier a dit quelque chose de brillant. ______________

____

B. *Une soirée qui fait rêver.* Complétez le passage suivant en employant **autre, d'autre, d'autres** ou **des autres,** selon le cas.

Samedi, j'ai donné une soirée. Certains sont arrivés à 8h, ______________ à 8h30, et encore ______________ à 9h. Matthieu m'a raconté une histoire, mais je pensais à ______________ chose. J'avais mis les affaires ______________

sur mon lit et, on avait mis ______________ vêtements dessus.

______________ part, je rêvais à ______________ qui ne pouvaient pas venir et

je me souvenais ______________ amours que j'avais eus dans le temps.

______________ les ont remplacés depuis.

THÈME

Donnez l'équivalent en français des phrases suivantes.

1. There is the woman whom I was just talking about. ______________________________

____

2. That is the forest through which I traveled. ______________________________

____

3. What the world needs is love. ______________________________________

____

4. Midnight is the hour when witches fly in the sky. ______________________________

____

5. That's what I'm thinking about. ______________________________________

____

6. I can lend you my book; I'll use my friend's. ______________________________

____

7. Some left early, others stayed until eleven. ______________________________

____

EXERCICES PRATIQUES

A. Étudiez la liste des programmes de la télévision payante et répondez aux questions suivantes.

LA TÉLÉVISION PAYANTE SEMAINE DU 29 JUIN

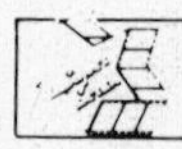

SUPER ÉCRAN

SAMEDI 29 JUIN

06h00 LES MOISSONS DU PRINTEMPS
08h00 LA PASSANTE DU SANS-SOUCI
10h00 DOT ET LE KANGOUROU
11h30 EVERGREEN: TOUS LES FLEUVES MENENT A LA MER (1ère partie).
13h10 EVERGREEN: TOUS LES FLEUVES MENENT A LA MER (2e partie).
14h50 EVERGREEN: TOUS LES FLEUVES MENENT A LA MER (3e partie).
16h30 INSPECTEUR GADGET
17h00 COUP DE MAITRE
19h00 CAUCHEMAR
21h00 LES MOISSONS DU PRINTEMPS
22h50 ETRE OU NE PAS ETRE
00h45 BRUCE CONTRE-ATTAQUE
02h15 LA PASSANTE DU SANS-SOUCI
04h10 LES MOISSONS DU PRINTEMPS

DIMANCHE 30 JUIN

06h00 TOM SAWYER
06h30 LES TROIS MOUSQUETAIRES
07h00 TOM SAWYER
07h30 LES TROIS MOUSQUETAIRES
08h00 HOMBRE
10h00 LES EXTERMINATEURS DE L'AN 3000
11h30 SARAH ET L'ECUREUIL
13h00 ESCROC, MACHO, GIGOLO
14h45 LA CROISIERE MAUDITE
16h30 INSPECTEUR GADGET
17h00 HOMBRE
19h00 BEAT STREET
21h00 PROGRAMME DOUBLE: L'OR DU SUD ET: A LA RECHERCHE DE LA PANTHERE ROSE
00h30 LES FOLIES D'ELODIE
02h00 LA NUIT DES MORTS VIVANTS
04h00 L'OR DU SUD

LUNDI 1ER JUILLET

06h00 THOMAS DOLBY EN CONCERT
07h00 LES CROQUE-MONSTRES
07h30 LES MAITRES DE L'UNIVERS
08h00 LE FEU DE LA DANSE
10h00 LA VENGEANCE DES FANTOMES
12h00 BOULEVARD DU CREPUSCULE
14h00 L'ANNEE DE TOUS LES DANGERS
16h30 INSPECTEUR GADGET
17h00 LA JEUNE MARIEE DE SHORT CREEK
19h00 LE FEU DE LA DANSE
21h00 CENT JOURS A PALERME
23h00 BOULEVARD DU CREPUSCULE
01h00 LES COLLEGIENNES EN FOLIE
03h00 LA VENGEANCE DES FANTOMES

MARDI 2 JUILLET

05h00 CENT JOURS A PALERME
07h00 LES CROQUE-MONSTRES
07h30 LES MAITRES DE L'UNIVERS
08h00 RETOUR VERS L'ENFER
10h00 MOTO MASSACRE
11h30 LE RUFFIAN
13h30 FESTIVAL DE JAZZ: RAY CHARLES
15h00 DOT LE LAPIN
16h30 INSPECTEUR GADGET
17h00 AGENCE MATRIMONIALE
18h00 RETOUR VERS L'ENFER
20h00 MOTO MASSACRE
22h00 L'ETE MEURTRIER
00h15 LE FRUIT EST MUR
02h00 SANG DANS LES RUES
03h30 L'ETE MEURTRIER

MERCREDI 3 JUILLET

06h00 KATE BUSH EN CONCERT
07h00 LES CROQUE-MONSTRES
07h30 LES MAITRES DE L'UNIVERS
08h00 KAOS
10h30 CENT JOURS A PALERME
12h30 LE GARDE DU CORPS
14h15 GORKY PARK
16h30 INSPECTEUR GADGET
17h00 LES PAVILLONS LOINTAINS (1ère partie)
19h00 THE DEAD ZONE
21h00 LE GARDE DU CORPS
23h00 GORKY PARK
01h15 JOIE DE PLANER
03h00 CENT JOURS A PALERME

JEUDI 4 JUILLET

05h00 TOUT FEU, TOUTE FEMME
07h00 LES CROQUE-MONSTRES
07h30 LES MAITRES DE L'UNIVERS
08h00 MOSCOU NE CROIT PAS AUX LARMES
10h30 NOSTRADAMUS
12h00 FESTIVAL DE JAZZ: ELLA FITZGERALD
13h30 JUSQU'A CE QU'AMOUR S'ENSUIVE
15h00 L'AFFAIRE VATICAN
16h30 INSPECTEUR GADGET
17h00 LES PAVILLONS LOINTAINS (2e partie)
19h00 POUR CENT BRIQUES T'AS PLUS RIEN
20h30 NOSTRADAMUS
22h00 L'HISTOIRE DE PIERRA
00h00 LES CHIENS-CHAUDS
02h00 LES FOLLES NUITS D'IBIZA
04h00 L'HISTOIRE DE PIERRA

VENDREDI 5 JUILLET

06h00 FLEUR DE MAGNOLIA
07h00 LES CROQUE-MONSTRES
07h30 LES MAITRES DE L'UNIVERS
08h00 GABRIELLE
10h00 GORKY PARK
12h15 PARASITE
13h45 LES QUARANTIEMES RUGISSANTS
16h30 INSPECTEUR GADGET
17h00 LES PAVILLONS LOINTAINS (3e partie)
18h45 GORKY PARK
21h00 PARASITE
22h30 CHEZ PORKY II: LE LENDEMAIN
00h15 LA CABINE DES AMOUREUX
02h15 FIN DE SEMAINE INFERNALE
03h45 BEAU-PERE

1. Pendant la fin de semaine, quels programmes essaient d'inspirer la peur?

____

____

2. Quels programmes intéresseront les enfants? ______________

____

____

Nom ______________________________ Classe _____________ Date _____________

3. Quels programmes seront peut-être comiques? ______________________

____

____

4. Quels programmes sont basés sur des livres? ______________________

____

____

5. Quels programmes vous intéressent? Pourquoi? ____________________

____

____

6. Pendant la semaine y a-t-il des programmes de musique? Lesquels?

____

____

7. Quels programmes ont lieu tous les jours? _________________________

____

____

8. Quelles sortes de films sont à la télé après minuit? Pourquoi? __________

____

____

____

B. Étudiez les petites annonces ci-dessous et répondez aux questions suivantes.

PETITES ANNONCES

GRAPHOLOGIE

465. Consultations et cours en direct ou par correspondance par des professeurs de l'Institut de Psychologie Expérimentale. Catalogue et documentation contre 4 timbres à I.P.E. 16, rue Buade 75006 Paris.
Tél. : 704.35.97.

ANALYSES GRAPHOLOGIQUE S

Esquisses - Portraits
Bilan psychologique
Orientation - Conseils
Graphothérapie
Expertise - Etc.
(3) 043.32.22

PARTICULIERS
ENTREPRISES

(15 années d'expérience) doc. gratuite sur demande
EGMP 44, av. du Parc
78402 CHATON

466. Analyses graphologiques morpho-caractérologiques. Particuliers. Entreprises. Anne Dufour, 21, rue d'Odessa. 75014 Paris.
Tél. : (33) 32.91.84.

ASTROLOGIE

455. Stages intensifs d'astrologie cet été en Périgord. Initiation et perfectionnement plus jeux astrologiques pour rendre vivantes les énergies planétaires de chaque thème. Ambiance chaleureuse et détendue. Rens. : La Bulle Bleue, 70, rue Saint-Honoré 75002 Paris.
Tél. : (1) 354.41.27.

464. Portrait astrologique. Orientation scolaire. Professionnelle. Vivre en harmonie. Horoscope. Tarots. Christine Buies. Tél. : 534.86.43-622.19.01.

456. Consultations et cours en direct ou par correspondance par des professeurs de l'Institut de Recherches Interdisciplinaires. Catalogue et documentation contre 4 timbres à I.R.I 16, rue Buade 75006 Paris.
Tél. : (1)704.35.97.

463. Etre, rencontrer, et communiquer, avec Affinitas : une assoc. nouvelle pour favoriser la connaissance de soi et des autres, et créer, entre nous, les conditions d'une authentique communication, basée sur l'existence de nos affinités astrales. Il suffit de vouloir, d'y croire, ou d'essayer.
Tél. : 422.11.82.

MASSAGES RELAXATION

453. Magnétisme. Consultation pour votre bien-être et le rééquilibrage de vos énergies par des professeurs de l'Institut de Recherches Scientifiques. Catalogue et documentation contre 4 timbres à I.R.S. 16, rue Buade 75006 Paris.
Tél. : (1)704.82.46.

454. 3 stages été 85 Sud France. Massage. Tennis-Tonus. Rando-Massage. Rens. : Méan, 8151, rue de Rouet 75011 Paris.
Tél.:(1)320.81.84.
Toute l'année stages. Cours. Séances individuelles par masseur-kinési.

454 bis. Massage Californien. Stages un W.E. par mois à Paris du 22 au 27 juillet en province. Séances individuelles. Jacques Lorge.
Tél. : (3)912.21.53. le matin.

455. Méthode Simonton. Guérir par la relaxation. Visualisation. Rosanne Courtois 961, rue de Rennes 75014, Paris.
Tél. : (33)94.83.69.

COURS - STAGES WEEK-END PSYCHOTHERAPIES

411. Cours d'Esotérisme par corr. Dynamique existentielle. Programme actuel : Évangile de Jean. Rens.: Claire, 14 av. Jacques Cartier, 6700 Strasbourg (88)16.38.66.

412. Thème : <<Clés pour la bio-énergie>> (présentation, débat, histoire d'un itinéraire personnel) avec François Mancebo. Lieu : Yoga pour tous, 68, rue du Fort Paris 7e
Tél. : (1) 600.42.06.

413. Renaissance-Thérap. en eau chaude. Bioénerg. analyt. et vidéo-gestalt. Sémin. résid. du 11 au 20 juillet avec Paul André (6)910.82.77.18, Chemin du Roy 91430 Igny.

414. Formation complète de psychologie, psychothérapie, relaxologie, sophrologie en cours du soir. Institut de Psychothérapie, 91 bis, rue d'Auteuil 75002 Paris.
Tél. : (1)379.47.82. de 18 h à 20 h.

415. Psychothérapeutes proposent consult. Psychothérapie, psychanalyse ou sophrologie.
Tél. : (1)379.47.82.

Nom ______________________ **Classe** ______________ **Date** ______________

1. Selon vous, que fait-on dans un cours de graphologie? ______________

2. D'après vous, que fait-on dans un cours d'astrologie? ______________

3. Qu'est-ce qu'on propose de faire sous la rubrique *Massages Relaxation?*

4. Quels cours vous intéressent le plus sous la rubrique *Cours-Stages Week-end-Psychothérapie?* Pourquoi? ______________

5. Au numéro 415, *la sophrologie* veut dire "étude des effets psychosomatiques produits par diverses techniques (relaxation, hyponose ...) qui visent à créer des états particuliers de conscience". À votre avis, qu'est-ce qu'on peut bien faire dans ces consultations? ______________

Leçon 11

ÉTUDE DU LEXIQUE

Vous écrivez à un dramaturge que vous connaissez et dont vous venez de voir la nouvelle pièce. Complétez les phrases suivantes en vous servant des mots de la liste ci-dessous. Conjuguez le verbe si nécessaire.

dégâts	boitiller	schéma	à tout prendre	planer
arbuste	se passer de	coulisse	se balader	prodige
sièges	à domicile	cracher	fouiller	intrigue
rampe	embouteillage	quitte à	dénouement	croiser
déroutant	ralentissement	cocon	complicité	ramasser
				écran

Mon cher Sasha,

Je ________________ depuis que j'ai vu ta dernière pièce de théâtre. L'________________ est fort original, mais le ________________ est un peu ________________. Pourrais-tu m'expliquer le symbolisme du vieux qui ________________ dans la dernière scène? Quant au décorateur, il a réalisé jusqu'au moindre ________________ le ________________ du jardin que tu m'as montré.

________________, il va falloir porter cette pièce à l'________________: en tirer un film! Je comprends maintenant pourquoi tu t'es retiré dans ton ________________ tout l'été pour finir ce ________________: tu travailles mieux ________________ car tu ne peux pas ________________ soins de Mariette. Quelle belle ________________ vous partagez! J'en suis jalouse! Au fait, j'________________ Mariette l'autre jour pendant que je ________________. Elle m'a dit que tu serais peut-être dans la ________________ après la représentation. J'avais retenu une place tout près de la ________________, ________________ paraître trop empressée, mais je ne t'ai pas vu. C'est pourquoi je t'écris. J'________________ quelques programmes abandonnés sur les ________________, après la représentation. J'aurais donc de beaux souvenirs. Quel ________________ à la sortie! mais que de louanges j'ai entendues! Tes rivaux vont encore ________________ des injures, car ils seront bien jaloux de ta réussite. Je voulais te dire également qu'en ________________ dans mon bureau, j'ai trouvé un compte-rendu de ta première pièce qui te traitait déjà comme un génie. Je regrette d'autant plus le ________________ du travail causé par la grève des électriciens. J'espère qu'elle ne causera pas de ________________ pour toi.

En espérant te revoir bientôt, mon cher Sasha, je te dis "Bravo! Bravo!"

Marcelle

GRAMMAIRE

I. L'interrogation: les formes et les pronoms interrogatifs

A. Donnez les quatre formes interrogatives qui correspondent aux phrases suivantes.

Nom ______________________ Classe ____________ Date ____________

1. La philosophie de Sartre et celle de Beckett sont pessimistes.

____

____

____

____

2. Vous n'avez pas rendu votre essai sur le sens de la vie.

____

____

____

____

3. La religion est de première importance pour certaines personnes.

____

____

____

____

B. Vous organisez un colloque sur le sens de la vie. En employant les pronoms interrogatifs, écrivez les questions qui correspondent aux affirmations ci-dessous. Posez deux questions, quand c'est possible.

1. Je serai le président de la session. ______________________

____

2. Vous parlerez le premier. ______________________________

3. Vous parlerez de la religion orientale. ____________________

____

4. Daniel exposera le point de vue des philosophes de l'absurde. __________

____

____

5. Il présentera le prochain intervenant. ______________________________

____

6. Nous discuterons les problèmes exposés. ______________________________

____

7. Les auditeurs poseront des questions aux intervenants. ______________

____

____

8. On finira par un apéritif. ______________________________________

____

C. Un enfant aime poser des questions. Écrivez l'inversion ou la forme courte de ses questions, s'il en existe.

1. Qui est-ce qui est à la porte? ______________________________

2. Qu'est-ce que tu fais? ______________________________

3. Qui est-ce qui a téléphoné? ______________________________

4. À qui est-ce que tu parles au téléphone? ______________________________

____

5. De quoi est-ce que tu parles? ______________________________

6. Qu'est-ce qui est arrivé? ______________________________

7. À quoi est-ce que ce gadget sert? ______________________________

D. Vous allez louer votre appartement à une personne. Posez-lui des questions afin d'être sûr que tout ira bien pendant votre absence.

Vous voulez savoir

1. ce dont il a besoin. ______________________________

2. ce dont il a envie. ______________________________

3. ce qu'il craint pendant votre absence. ______________________________

____

4. s'il va faire suivre le courrier. ____________________________________

____

5. ce qu'il pense des arrangements financiers. _________________________

____

6. ce qu'il fera s'il y a un problème. ____________________________

____

7. avec quoi il nettoiera l'appartement. __________________________

____

8. s'il s'occupera des chats comme il faut. ________________________

____

II. Les pronoms interrogatifs composés

Votre condisciple a manqué le cours de philosophie. Il vous pose des questions.

Exemple: Il faut préparer un essai pour la prochaine fois.
Lequel faut-il préparer pour la prochaine fois?

1. Il faut lire un livre pour la prochaine fois. _______________________

____

2. Le professeur a parlé de la philosophie contemporaine la dernière fois. ______

____

3. Il a parlé d'un philosophe moderne. ____________________________

____

4. Il a parlé des questions théoriques. ____________________________

____

5. Il a posé des questions aux étudiants. __________________________

____

6. Certains étudiants ont répondu. ______________________________

____

7. Il a donné une bonne note à une des filles. ______________________________

____

III. Les adverbes dans les phrases interrogatives

À la recherche du sens. Formulez plusieurs questions pour chacune des phrases suivantes en utilisant les adverbes interrogatifs **où, quand, comment, pourquoi, combien** (de temps prendra, coûtera, etc.).

1. On va à Sri Lanka. ______________________________

____

____

____

2. On va étudier le bouddhisme. ______________________________

____

____

____

3. On atteindra la sagesse. ______________________________

____

____

4. On reviendra transformés. ______________________________

____

____

5. On enseignera la méditation aux autres. ______________________________

____

____

____

Nom ______________________ Classe ____________ Date ____________

THÈME

Donnez l'équivalent en français des phrases suivantes.

1. On what can I lean to write this letter? ______________________

2. What's happening? ______________________

3. What do you want? ______________________

4. Who's there? ______________________

5. Whose pen is this? ______________________

6. I have three cards; which one do you want? ______________________

7. What do you need? ______________________

8. What do you feel like doing? ______________________

EXERCICES PRATIQUES

A. Étudiez les petites annonces et répondez aux questions suivantes.

PETITES ANNONCES

445. Cure de jeûne sous surveillance médicale. Initiation et expérience vers un changement dans l'intelligence même de la santé. Savoie juillet 85. Y. Château d'If. Tél. : (79)96.81.06.

442. Hypnothérapeute délégué du groupement national des hynotiseurs de France reçoit sur R.d.V. Cabinet St-Cloud.
Angoisse, insomnie, sexualité, frigidité, mincir, dépression, trac examens. Traitement par cassettes après 2 visites. Tél. : 16 (1) 380.30.79.

439. Intégration posturale. Thérapie psychocorporelle. Travail individuel. Paris 703.13.58. (Rép.).

452. Devenir qui je suis. Séminaire intensif de développement personnel. Thérapie en Normandie. Eté 8.7. 6-14 juillet avec France et Romain Paquet, 9, rue Côté, 75016 Paris. Tél.: 828.57.61.
Documentation sur demande.

OÙ TROUVER UN LIVRE ÉPUISÉ?

Téléphonez d'abord ou venez à la
LIBRAIRIE
LE TOUR D'ESPRIT
9, rue de la Reine,
75114, PARIS.S
Tél. : 288.37.95. et 288. 85.60.
100 00 livres en stock.

444. Cours d'introduction à la psychologie et à l'analyse. Stages d'été en Haute-Savoie. Renseignements et inscriptions.
Tél. : (1) 551.18.52.

447. Bien-être : apprendre à améliorer sa santé, à mieux dormir, à vivre détendue. 3 stages : naturopathie, hypnose, relaxation. Rens. : Psycho-relax, 22 bis, rue du Roy 75006 Paris.

448. Stages résidentiels été 85. <<Dialogue du corps et de l'astral>> (Psychologie Transpersonnelle). Yi-King. Yoga Nidra. Hatha Yoga. Rens. : et programmes ARAAF 320.33.80.

469. Tantra et sexualité. W.E. d'initiation personnelle ou en couple(s) par Ravi. Tél. : (49)56.64.34. <<Le Torrent>>. St-Nuage 86102 Bonneaventure.

1. Pensez-vous qu'une cure de jeûne (on arrête de manger pendant une certaine période de temps) soit bénéfique ou dangereuse? Pourquoi? ____________

Nom ______________________________ Classe ______________ Date ______________

2. Qu'est-ce qu'on propose de faire dans le numéro 447? Qu'en pensez-vous?

____

____

____

____

____

3. Qu'est-ce qu'on promet dans le numéro 452? Que faut-il faire pour l'accomplir? ____

____

____

____

____

____

4. Quelle annonce vous intéresse le plus? Pourquoi? ______________

____

____

____

____

____

B. Vous désirez faire de la publicité pour un centre que vous organisez autour du sens de la vie. Composez avec soin votre annonce, ensuite inscrivez-la sur le formulaire fourni ci-dessous.

____

____

____

____

____

PETITES ANNONCES

Les petites annonces doivent nous parvenir *au plus tard* le 20 du mois précédent la parution (exemple : 20 mai pour parution du 15 juin). *Un minimum de 4 lignes est exigé.*
Le règlement doit être obligatoirement joint à la commande.
En raison du développement de cette rubrique, PSYCHOLOGIES est au regret de ne plus accepter d'annonces domiciliées au journal, ou relatives aux demandes d'emploi.

TARIF

•MODULES: (56 X 42 mm) 1 304,60 F T.T.C.
(112 X 42 mm) 2 087,36 F T.T.C.

• PETITES ANNONCES A LA LIGNE :

4 lignes : 260,92 F T.T.C.
-- La ligne supplémentaire : 52,18 F T.T.C.
-- Réduction 10% pour 3 parutions

Les annonces et règlements sont à adresser à :

PSYCHOLOGIES
PETITES ANNONCES
1, rue Lord Byron
75008 -- PARIS

☐ Ci-joint un chèque de ....F
Je désire une facture ☐ oui ☐ non

Lignes supplémentaires

Combien faut-il payer pour une annonce de sept lignes? ____________

Combien votre annonce vous coûtera-t-elle? ____________

Leçon 12

ÉTUDE DU LEXIQUE

Récrivez la lettre suivante en remplaçant les mots soulignés par une expression équivalente. Faites d'autres changements, s'il le faut.

Mon cher ami,

Cette lettre est relative aux bavardages dégradants que j'ai entendus dans le quartier à ton sujet. Je me sens gênée d'aborder une matière dangereuse qui est peut-être déraisonnable, car je crois connaître ton coeur, mais je veux, quoi qu'il puisse en coûter, dissiper l'obscurité qui entoure la question. Je ne sais pas si tu as commis la faute qu'on t'attribue, mais je suis envahie de doutes et veux préciser la situation. Il est désagréable de vivre à côté de gens qui m'agacent, car je suis un être pacifique qui évite les disputes, mais je n'aime pas qu'on marche sur mes principes non plus. J'assimile mal leurs insinuations et voudrais te parler en prenant tout le temps nécessaire pour profiter au maximum de nos rapports. Je ne voudrais pas être trop sévère et je ne penserai pas à me venger de toi si ce qu'on dit est vrai, mais je me sens si opprimée, si abattue qu'il serait imbécile de laisser passer cette affaire. Moi, je veux profiter de notre temps ensemble et il en va pareillement pour toi aussi, j'imagine. Fixons donc un rendez-vous aussi vite que possible.

Avec inquiétude,

Mireille

P.S. Je t'envoie ci-inclus une copie de l'article "Prenez-vous la vie du bon côté?" J'ai marqué d'un chiffre les pages. J'ai marqué d'un trait les phrases qui me concernent et je voudrais que tu en fasses autant.

Nom ______________________ Classe ______________ Date ______________

GRAMMAIRE

I. Le discours indirect et la concordance des temps

A. Récrivez le dialogue suivant au discours indirect. Attention au temps des verbes. Ajoutez d'autres mots où il le faut.

Moi: Dites-moi comment vous allez?
Ma tante: Hier, j'ai été malade, mais aujourd'hui, je me sens mieux.
Moi: Pourquoi n'êtes-vous pas allée chez le médecin?
Ma tante: Vous n'avez aucune confiance en les pouvoirs naturels du corps pour se guérir. Il faudra que vous vous renseigniez là-dessus. On n'a pas toujours besoin d'aller chez le médecin quand on est malade.
Moi: Vous avez raison. Prêtez-moi votre livre sur la guérison naturelle.
Ma tante: Je vous le donnerai maintenant car je l'ai avec moi.

____

____

____

____

____

____

____

____

____

____

____

____

B. Mettez la conversation suivante au discours indirect en employant autant de verbes différents dans les propositions principales. Ajoutez aussi une expression adverbiale pour varier le dialogue.

Alain: Je viens de finir un livre fascinant la semaine dernière.
Moi: De quoi s'agit-il?
Alain: Il est question de la communication entre les gens.
Moi: Pourrais-tu me le prêter?
Alain: Je te le donnerai demain, car je l'ai laissé chez moi.

Moi: Raconte-moi un peu les idées centrales.

Alain: Le livre traite des rapports interpersonnels. Selon l'auteur, beaucoup des rapports humains sont caractérisés par des rapports de force: on cherche à dominer l'autre par la manipulation.

Moi: Est-ce que le livre a modifié ta conception des autres?

Alain: Ah, oui! Je suis devenu plus conscient de mes rapports avec les autres. Maintenant, je ne me laisse plus marcher sur les pieds. L'année prochaine, je vais faire un stage avec *la Société internationale des recherches interdisciplinaires sur la communication.*

Moi: Bonne chance: Je crois que ça vaut la peine.

Alain: ____

C. Maintenant, c'est à vous. Racontez une conversation que vous avez eue, ou inventez un dialogue sur les conceptions de la vie. Êtes-vous pessimiste ou optimiste, réaliste ou idéaliste? Et votre ami?

II. Précis de la négation

A. Faites la description d'un pessimiste en vous basant sur la description d'un optimiste.

1. Un optimiste est toujours souriant.

2. Il ne se décourage jamais. ______________________________

____

3. Il voit tout d'un oeil favorable. ___________________________

____

4. Tout le monde veut être avec lui. __________________________

____

5. Il a la volonté et l'attitude nécessaire pour accomplir ses voeux. ________

____

____

6. Il n'a pas encore cédé au découragement. ____________________

____

7. Il veut faire quelque chose avec sa vie. _____________________

____

8. Il a quelque idée de ce qu'il veut faire. _____________________

____

9. Il se fie à tous. ____

____

10. Il est le bienvenu partout. _______________________________

____

B. Répondez négativement aux questions suivantes.

1. Suivez-vous la philosophie de Sartre ou de Beckett? ______________

____

2. Est-ce que vous et votre camarade êtes optimistes? _______________

____

3. Est-ce qu'un pessimiste est agréable et gai? ____________

4. Avez-vous des livres de philosophie et de psychologie? ____________

5. Savez-vous d'où vous venez et où vous allez? ____________

6. Est-ce que votre mère et votre père comprennent la philosophie matérialiste?

7. Savez-vous lire le grec et le latin? ____________

8. Êtes-vous encore perplexe? ____________

9. Avez-vous déjà étudié la psychologie? ____________

10. Avez-vous trouvé mon livre de philosophie sur ce siège? ____________

THÈME

Donnez l'équivalent en français des phrases suivantes.

1. I never see anyone in the library before nine. ____________

2. She's not going; me neither. ______________________________

____

____

3. He asked me if I'd already eaten. ___________________________

____

____

4. We never go anywhere on Sundays! ___________________________

____

____

5. He admitted to me that he had had a love affair. _______________

____

____

6. I told him he had a bad attitude towards life. _________________

____

____

7. He answered he was only being realistic. _____________________

____

____

Nom ______________________ Classe ____________ Date ____________

EXERCICES PRATIQUES

A. Étudiez les petites annonces suivantes et répondez aux questions ci-dessous.

449. Laurence Peloquin. 824. 22. 38. Médium, parapsy, voyance pure, Tarot, photo, magnétisme. 79, rue des fossés St-Jacques, 75010 Paris. Tlj S.r.V. et courrier.

450. Sur la splendide île grecque de Skyros. Atsitsa : centre de santé holistique et de mise en forme. Activités: windsurfing, danse, yoga, méditation, massage, T'ai Chi. Skyros Centre : groupes de développement de soi-même, événements créatifs, activités de loisirs. Détails: 1 Hamstead Ave. (P), London NW6 1SL, Angleterre.

462. Stage remise en forme. Énergie. Confiance en soi. Communications Gestalt. Hebdom. Paris ou 14 jours Dordogne juillet. Doc. Évolution Soleil. Tél. : 367.48.30 ou 210 bis, ave Du Parc, 75012 Paris.

468. Le lierre et le courrier. Propose: conférences, stages yoga,séminaires. Formations: Art du couple, astrologie, acupuncture.
Rens. : tél. : (61) 63.18.27. Adresse : 82, rue Pie X, 31000 Toulouse.

461. Psychothérapeutes vous proposent l'analyse courte durée (Jung). 2 week-ends d'analyse émotionnelle (Marathon-Gestalt), 3 séminaires d'été : à la recherche de soi, cinq jours dans la détente et la bonne humeur.
Tél. : 208.89.06 261.09.30 ou 16 (32) 49.92.83.

467. Stages intensifs de chant, piano, guitare. Musique moderne. Juillet, août. 3 ou 5 jours. Association Musique, 30, rue des Lions 63110 Beaumont. Tél. : 16 (73) 34.41.77. ou 16 (73) 36.15.96.

ENTREPRENDRE UNE PSYCHANALYSE ... EST DIFFICILE :

Difficile est de s'engager sans connaître :
- Son analyste, sa méthodologie.
- Ce que l'on attend de la psychanalyse.

Si cette annonce vous parle, et que vous désirez pratiquer l'analyse, quelques séances puis, réfléchir, téléphonez pour information au Secrétariat : (6) 086.71.59.

Ch. Duchênes
Psychanalyste
Membre du PSY'G

8, rue de Maisonneuve
75008 PARIS
Métro : Madeleine

Réception uniquement sur R. V.

1. Quelles possibilitiés vous sont offertes pour modifier votre conception de la vie? ____________________

2. Quels sites différents sont offerts? ____________________

3. Comment l'annonce 467 pourrait-elle modifier votre vie? ____________________

4. Quelles questions faudrait-il poser au Secrétariat du psychanalyste Charles Duchênes? ____________________

5. Pensez-vous qu'il soit moral pour un psychanalyste de faire de la publicité dans une revue, comme un marchand de chaussures? ____________________

Nom ______________________ Classe ______________ Date ______________

B. Vous avez un étudiant qui se distingue dans plusieurs domaines d'activités. Étudiez l'annonce suivante et écrivez une recommendation pour lui.

HÉ! LES JEUNES,

FAITES CONNAÎTRE ET

RECONNAÎTRE VOTRE EXCELLENCE

Dans le cadre de l'Année internationale de la jeunesse, la Ville de Québec décernera des prix de **300,00 $, des plaques et des diplômes** de reconnaissance aux gens qui se sont particulièrement illustrés dans un domaine d'activité, que ce soit dans le milieu scolaire, sportif, artistique, des affaires, du travail ou de l'implication communautaire en général.

— Profitez de l'occasion, **INSCRIVEZ-VOUS** et faites-vous **RECONNAÎTRE** par la Ville de Québec.

— Conditions d'admissibilité:
— Être âgé entre 15 et 29 ans
— Être domicilié dans la ville de Québec
— S'être illustré dans un domaine d'activité

Date ultime d'inscription: — Le 30 septembre 1985

N.B.: Les personnes de 30 ans et plus peuvent soumettre des candidatures de jeunes.

Comment faire pour s'inscrire: Téléphonez à 694-6278
ou complétez la fiche suivante et retournez-la au:
Service des loisirs et des parcs
de la Ville de Québec
Programme de reconnaissance de l'excellence
Hôtel de Ville de Québec
QUÉBEC, Qc
G1R 4S9

Nom, adresse et téléphone du candidat: ______________________

Son domaine d'excellence: ______________________

Décrivez pourquoi le candidat mériterait cette reconnaissance: ______________________

Signature: ______________________ Date: ______________________

C. Vous désirez enrichir vos loisirs. Étudiez la liste de cours suivante et répondez aux questions ci-dessous.

Activité et nature	Numéro	Clientèle âge/sexe	Endroit jour(s)/heure(s)	Tarif $	Durée et fin
Céramique Finition et décoration de pièces	11182	18 ans et plus mixte	Centre des loisirs St-Sacrement Mardi 19h00 - 22h00	80.00	6 sem.
Chant choral	11183	18 ans et plus mixte	Centre des loisirs St-Sacrement Jeudi 19h30 - 22h00	5.00	13 sem.
Cinéma Scénario et tournage (super 8)	11184	18 ans et plus mixte	Centre des loisirs St-Sacrement Mercredi 19h30 - 22h30	45.00	13 sem.
Danse sociale I	11210	18 ans et plus mixte	Centre des loisirs St-Sacrement Mercredi 19h00 - 20h30	35.00	12 sem.
Danse sociale II	11211	18 ans et plus mixte	Centre des loisirs St-Sacrement Mercredi 20h30 - 22h00	35.00	12 sem.
Dessin I	11187	18 ans et plus mixte	Centre des loisirs St-Sacrement Mardi 19h30 - 22h00	35.00	13 sem.
Dessin II	11188	18 ans et plus mixte	Centre des loisirs St-Sacrement Mercredi 19h30 - 22h00	35.00	13 sem.
Donjons et dragons	11189	16 ans et plus mixte	École J.-F.-Perrault Vendredi 19h30 - 23h00	10.00	13 sem.
Français écrit	11190	16 ans et plus mixte	Centre des loisirs St-Sacrement Mercredi 19h00 - 21h00	3.00	12 sem.
Jeux coopératifs	13522	16 ans et plus mixte	Centre des loisirs St-Sacrement Lundi 19h00 - 20h30	20.00	13 sem.
Photographie Développement et tirage couleur	11191	18 ans et plus mixte	Centre des loisirs St-Sacrement Jeudi 19h30 - 22h30	50.00	7 sem.

Nom ______________________ **Classe** ______________ **Date** ______________

1. De tous les cours, lequel vous intéresse tout particulièrement? Pourquoi?

____

____

____

____

____

2. Qu'est-ce que vous souhaitez apprendre dans ce cours? ______________

____

____

____

____

3. Combien coûte le cours de votre choix et, combien de temps dure le semestre?

____

____

4. À quelle heure le cours a-t-il lieu? Pourquoi? ______________

____

____

5. Quelle est la date de la première séance du cours? ______________

____

6. Quels cours peut-on suivre si l'on a 17 ans? ______________

____

____

____

Leçon 13

ÉTUDE DU LEXIQUE

Une visite chez Picasso. Récrivez le passage suivant en remplaçant les mots soulignés par une expression équivalente. Faites tous les changements nécessaires.

Quand j'étais un jeune homme, j'ai eu la bonne fortune de rencontrer Picasso. Quand on pense que j'allais traverser le seuil de la maison d'un si grand artiste! Ce que je craignais le plus, c'était le premier moment. J'ai rapidement fait l'ascension de la petite pente et, en arrivant sur la terrasse devant sa maison, j'ai remarqué qu'elle était pleine d'arbrisseaux couverts d'épines. Je me suis avancé dans ce labyrinthe car il fallait ouvrir un chemin afin d'arriver à la maison. En ce faisant, je préparais un compliment que j'allais lui offrir au moment crucial. Pas besoin; le grand homme m'a reçu avec gentillesse. Il portait des vêtements d'artiste. Son lieu de travail était encombré de tableaux exposés par terre, sur les murs et sur toutes les surfaces. Il y en avait un, sur lequel il travaillait en me parlant, d'une femme habillée comme si elle était un oiseau. Il dessinait à la hâte avec une telle ferveur que je croyais qu'il était habité par un démon. Je savais qu'il n'avait pas à se justifier devant qui que ce soit, mais je voulais chercher à connaître ses opinions sur certaines questions. Sa manière d'être m'avait calmé; elle m'avait débarrassé de mon inquiétude habituelle. Je lui ai demandé s'il peignait toujours selon son inspiration, ou si quelquefois il ne faisait pas des peintures sur commande pour des raisons commerciales. En entendant ma question, il a réagi brusquement et, son grand rire ressemblait plutôt au cri d'un lion. "Mon jeune ami, me dit-il, je suis toujours inspiré, mais la vente de mes peintures, ça, c'est une autre histoire!"

____

____

Nom ______________________ Classe ______________ Date ______________

____

____

GRAMMAIRE

I. L'adverbe

Un emploi possible. Complétez le passage suivant en ajoutant des adverbes qui correspondent aux adjectifs ci-dessous.

précis	absolu	vrai	facile	meilleur	courant
forcé	gentil	poli	net	évident	

Je lui ai dit ________________ que je ne pouvais ________________ pas le voir cet après-midi-là. Il était ________________ déçu, mais m'a répondu ________________ qu'il pouvait ________________ revenir le lendemain. C'est un homme qui est ________________ doué; il parle ________________ trois langues, il connaît ________________ la région que ses prédécesseurs et ________________ vendrait plus de toiles. Ses connaissances en art sont ________________ supérieures aussi. C'est ________________ pourquoi je voudrais l'engager.

II. Place des adverbes

Vous avez eu une mésentente avec un ami. Formez des phrases selon l'exemple.

Exemple: Tu as compris ce que j'ai dit. (mal)
Tu as mal compris ce que j'ai dit.

1. Tu as pris ma remarque. (mal) ______________________________
2. Tu as tort de te fâcher. (tout à fait) ______________________________

____

3. J'ai voulu dire que tu avais besoin de t'appliquer plus. (seulement) ____________

____

4. Je n'ai pas dit que tu n'avais pas de talent. (du tout) ____________

____

5. Je crois que tu t'es trompé de croire ça. (vraiment) ____________

____

6. J'ai respecté ton talent. (toujours) ____________

____

7. Tu es trop sensible. (peut-être) ____________

____

8. Tu ne m'as pas parlé depuis. (presque) ____________

____

9. Tu ne m'as pas compris. (sans doute) ____________

____

10. J'ai dormi depuis notre mésentente. (peu) ____________

____

11. J'ai appris ma leçon avec toi. (vraiment) ____________

____

12. Je ne savais pas que tu étais sensible. (tellement) ____________

____

III. Le participe présent et le gérondif

A. *Une soirée au théâtre.* Refaites les phrases en remplaçant les propositions soulignées par le participe présent.

1. Parce que nous étions sûrs de nous amuser, nous sommes allés au théâtre.

____

Nom ______________________ Classe ______________ Date ______________

2. Comme nous savions le talent de Molière, nous avons choisi une de ses pièces. ______________________________

____

3. Puisque nous n'avions pas beaucoup d'argent, nous avons pris les places les moins chères pour *le Misanthrope*. ______________________________

____

4. Au premier acte, Philinte, qui voit son ami si fâché, lui demande ce qui se passe. ______________________________

____

5. Alceste, qui ne veut plus rien à voir avec le monde, lui répond qu'il s'en va.

____

____

6. Parce qu'elle accepte les hommages de tous, Célimène offense Alceste. ____

____

7. Comme il est jaloux, il lui propose de quitter le monde avec lui. __________

____

B. Répondez aux questions suivantes en employant le gérondif.

1. Comment réussit-on aux examens? ______________________________

____

2. Comment est-ce qu'on apprend le français? ______________________________

____

3. Comment peut-on obtenir un passeport? ______________________________

____

4. Comment peut-on découvrir le sens de la vie? ______________________________

____

5. Comment peut-on modifier sa propre vie? ____________________

____

6. Comment apprend-on à jouer d'un instrument de musique? __________

____

7. Comment apprend-on à danser? ____________________

____

8. Comment est-ce qu'on apprend à chanter? ____________________

____

C. Décrivez les actions des gens que vous voyez dans un musée. Combinez les deux phrases en utilisant le gérondif.

1. Ce monsieur regarde les toiles. Il réfléchit. ____________________

____

2. Cette dame regarde les toiles. Elle secoue la tête. ______________

____

3. Ces jeunes gens observent les spectateurs. Ils se moquent d'eux. ________

____

4. Le gardien observe les visiteurs. Il bâille. ____________________

____

5. Le guide explique un tableau. Il fait des gestes. ______________

____

6. Ces deux enfants regardent un tableau abstrait. Ils ouvrent les yeux tout grands. ____________________

____

7. Je regarde les autres. Je prends des notes. ____________________

____

Nom ______________________ Classe ____________ Date ____________

D. Décrivez une série d'actions. Refaites les phrases suivantes en employant **tout en...** .

1. Je savais qu'il fallait travailler, mais je suis allé à un concert. ____________

____

2. Pendant que j'écoutais, je réfléchissais à l'essai qu'il fallait écrire. ________

____

3. Pendant que je réfléchissais, j'ai découvert une idée originale. ____________

____

4. Au moment où j'ai découvert cette idée, je suis arrivé à envisager le plan de tout l'essai. ______________________________

____

E. Vous expliquez à un enfant l'importance de la danse. Employez le participe présent, le gérondif ou l'expression **tout en....**

1. Si tu vas aux cours de danse, tu auras un corps sain. ______________

____

2. Si tu étudies la danse, tu auras un beau corps. ________________

____

3. Si tu fais tes exercices, tu auras un corps souple. ______________

____

4. Si tu t'appliques, tu auras des mouvements gracieux. ______________

____

5. Si tu as des mouvements gracieux, tu feras plaisir aux autres. __________

____

6. Un danseur, qui sait comment maintenir sa santé, ne vieillira pas aussi vite que les autres. ______________________________

____

7. Parce que tu vois la beauté des danseurs, tu devrais être inspiré. __________

____

THÈME

Donnez l'équivalent en français des phrases suivantes.

1. You talked too much and ate too little. ______________________

____

2. One learns by having patience and by being attentive. ______________

____

3. Knowing how to get along, he had no problems. ________________

____

4. One can't study while watching television. ___________________

____

5. I completely forgot about our appointment! ___________________

____

6. By watching your figure, you'll always be svelt. ________________

____

7. Appetite comes while eating. ______________________________

____

EXERCICES PRATIQUES

A. Étudiez la description des spectacles à la page suivante. Ensuite, répondez aux questions suivantes.

Nom ____________________ Classe ______________ Date ______________

SAISON DE PARIS 1986

LES GRANDS RENDEZ-VOUS

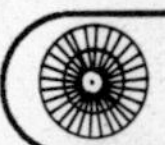

FESTIVALS

17 février - 26 mars
FESTIVAL DES INSTRUMENTS ANCIENS
THEATRE DES CHAMPS-ELYSEES - 8e
SALLE GAVEAU - 8e
EGLISES DE PARIS
43.53.29.83

7 - 15 MARS
FESTIVAL INTERNATIONAL DE PARIS DU FILM FANTASTIQUE ET DE SCIENCE FICTION
CINEMA GRAND REX
1, boulevard Poissonnière - 2e
42.33.40.49

20 - 30 avril
FESTIVAL INTERNATIONAL DE LA GUITARE
SALLES DE CONCERTS
EGLISES DE PARIS
43.70.87.30

10 mai - 12 juillet
FESTIVAL DE L'ILE-DE-FRANCE
(1ère partie)
Concerts-promenades dans les châteaux, musées et monuments historiques de la région d'Ile-de-France
47.23.40.84

12 mai - 26 juin
FESTIVAL DE MUSIQUE DE SAINT-DENIS
Concerts-Opéras
42.43.30.97

20 mai - 28 juin
FESTIVAL MOZART-ORCHESTRE DE PARIS
Direction: Daniel Barenboïm
THEATRE DES CHAMPS-ELYSEES
15, avenue Montaigne - 8e
Renseignements: 45.63.07.40

20 mai - 30 juin
FESTIVAL DE VERSAILLES
Théâtre - Concerts - Opéras
39.50.71.18

juin
FESTIVAL CHOPIN
- 43.25.14.21

6 juin - 11 juillet
9e FESTIVAL <<FOIRE SAINT-GERMAIN>>
Exposition-Théâtre-Musique-Jazz
Antiquaires-Animations diverses...
PLACE ST-SULPICE - MAIRIE DU VI
HOTEL DES MONNAIES - 6er
43.29.12.78

11 juin - 13 juillet
FESTIVAL DU MARAIS
Musique - Théâtre - Danse...
EGLISES
COURS D'HOTELS PARTICULIERS
PLACES ET AUTRES LIEUX DU QUARTIER DU MARAIS
48.87.74.31

12 juillet - 5 octobre
juillet et août: sam. et dim.- 17h30
septembre et octobre - 17h30
dimanches - 11h et 17h30
FESTIVAL DE L'ORANGERIE DE SCEAUX
Récitals de piano - Musique de chambre
ORANGERIE DU CHATEAU DE SCEAUX
Hauts-de-Seine - 47.02.95.91

15 juillet - 20 septembre
FESTIVAL ESTIVAL DE PARIS
Concerts dans des lieux prestigieux de Paris
42.27.12.68

Mi-septembre - mi-décembre
FESTIVAL D'AUTOMNE
Danse - Théâtre - Exposition- Musique
42.96.12.27

20 septembre - 14 décembre
FESTIVAL DE L'ILE-DE-FRANCE
(2e partie)
<<Prague, ville musicale d'Europe>>
concerts dans les églises et autres monuments de l'Ile-de-France
47.23.40.84

4 octobre - fin novembre
24e FESTIVAL INTERNATIONAL DE DANSE DE PARIS
2econcours International de danse
4 - 5 octobre: concours contemporain
7 - 11 octobre: concours classique
OPERA COMIQUE - 2e
Ballet de Tokyo
17 18 octobre:
OPERA DE PARIS - 9e
20-21-22-23 octobre:
OPERA COMIQUE - 2e
Ballet de l'Opéra de Paris
1er - 15 novembre
OPERA DE PARIS - 9e
Alvin Alley American Dance Company
Renseignements: 47.23.40.84

20 octobre - 25 décembre
FESTIVAL D'ART SACRE -Concerts
EGLISES DE PARIS
42.77.18.33

Fin octobre - début novembre
7e FESTIVAL DE JAZZ DE PARIS
THEATRE DE LA VILLE - 4e
THEATRE MUSICAL DE PARIS - 1e
MUSEE D'ART MODERNE - 16e
MAIRIE DU 5e ARR. - 5e
47.83.33.58

COMÉDIE FRANÇAISE - ODÉON - OPÉRA DE PARIS

COMEDIE FRANÇAISE
2, rue de Richelieu - 1er
- 42.96.10.20
En alternance :
Jusqu'au 12 janvier
FEYDEAU, COMEDIES EN UN ACTE
Jusqu'au 29 janvier
L'IMPRESARIO DE SMYRNE,
de C. Goldoni
Jusqu'au 20 mars et mois de juin
LE BALCON, de J. Genet
15 janvier - fin février
LE MISANTHROPE, de Molière
1er février - fin mai
LE MENTEUR, de P. Corneille
1er mars - fin avril
LA TRAGEDIE DE MACBETH,
de Shakespeare
22 mars - fin juin
UN CHAPEAU DE PAILLE D'ITALIE,
de E. Labiche et M. Michel
10 mai à fin juin
LE BOURGEOIS GENTILHOMME,
de Molière

ODEON - THEATRE DE L'EUROPE
1, place Paul-Claudel - 6e
- 43.25.70.32
Odéon
14 janvier - 14 février
LA PUCELLE D'ORLEANS,
de F. von Schiller
11 mars - 13 avril
LES JUSTES, de A. Camus
18 avril - 22 mai
QUESTION DE GEOGRAPHIE,
de J. Berger et N. Bielski

Théâtre de l'Europe
12 janvier - 14 février
SIX PERSONNAGES EN QUETE D'AUTEUR
de L. Pirandello
18 - 23 février
-THE REAL INSPECTOR HOUND,
de T. Stoppard
-THE CRITIC, de R.B. Sheridan
Spectacles en langue anglaise
25 février - 1ermars
IL BERRETTO A SONAGLI,
de L. Pirandello
Spectacle en langue italienne

OPERA DE PARIS
Place de l'Opéra - 9e
- 47.42.57.50
Opéras
20, 23, 25, 28, 30 janvier
2 (mat.), 5, 7, 11, 14, 26, février
1 , 4, 11, 14, 26, 28, 31 mars
LA TRAVIATA, de G. Verdi
27 février
3, 6, 10, 13, 18, 21, 25, 27 mars
MEDEE, de L. Cherubini
15, 18, 20, 23, 26, 29 avril
17, 20, 23, 27 mai
SALOME, de R. Strauss
16, 19, 22, 25, 28, 31 mai
3, 4, 28 juin
2, 5, 8, 11, 15 juillet
LA BOHEME, de G. Puccini
16, 19, 21, 25, 27 ,29 juin (mat.)
1er, 4, 7, 9 juillet
SALAMMBO, de M. Moussorgski

Ballets
31 janvier
1er(mat. et soir.), 3, 4, 6
8 (mat. et soir.), 28 février
2, 3, 7, 8 (mat et soir.),12 mars
SPECTACLE DE BALLETS I
Un jour ou deux, de J. Cage
Chorégraphie: M. Cunningham
Manfred, de Tchaïkovsky
Washington Square
Chorégraphies: R. Noureev
24, 29 (mat. et soir.) mars
16 (mat. et soir.), 17,
19 (mat. et soir.), 22, 24, 25 avril
SPECTACLE DE BALLETS II
Soirée Maurice Béjart
Boléro, Le Sacre du Printemps...
5, 6, 10, 13, 18, 21,
24 (mat. et soir.), 26 mai
SPECTACLE DE BALLETS III
Fantasia Semplice, de M. Monnet
Chorégraphie: D Bagouet
Daphnis et Chloé, de M. Ravel
Chorégraphie: N. Christe
Les Mirages, de H. Sauguet
Chorégraphie: S. Lifar
24, 26, 30 juin
3, 10, 12, 13, 14 (matinée gratuite),
16, 17, 18, 19 juillet
SPECTACLE BALLET IV
Don Quichotte -Chorégraphie: R. Noureev

OPERA COMIQUE
Salle Favart - Place Boïeldieu - 2e
42.96.06.11

Opéras
10, 12, 14, 16 (mat.)
18, 20, 22, 24, 26 février
LE TOUR D'ECROU, de B. Britten
15, 17, 20, 22, 24 mars
L'ECUME DES JOURS,
de E. Denisov
28, 31 mars - 1er, 3, 5, 7 avril
-L'HEURE ESPAGNOLE,
de M. Ravel
-GIANNI SCHICCHI, de Puccini
26, 28, 30 avril
3, 7, 9, 11 (mat.), 12, 14,
17, 19, 20 mai
LA FILLE DU REGIMENT, de G. Donizetti
17, 19, 22, 23, 25, 27, 30 juin
3, 4, 7, 10, 12, 16, 19 juillet
LA FLUTE ENCHANTEE, de W-A. Mozart
Ballets
15, 16, 17, 18 (mat. et soir.) janvier
SPECTACLE FRANÇOIS VERRET -
Création
Par le Groupe de Recherche Chorégraphique de l'Opéra de Paris
22, 23, 24, 25 (mat. et soir.) janvier
<<BANDE DESSINEE>>
Par le Groupe de Recherche Chorégraphique de l'Opéra de Paris
Le Sacre du Printemps
Chorégraphie: P. Taylor
Le Cordon Infernal
Chorégraphie: J. Garnier
d'après la bande dessinée de C. Brétécher
6, 8, 10 (mat. et soir.), 13, 16, mai
ECOLE DE DANSE

1. Votre copine, fanatique de la danse, arrive à Paris à la fin d'avril. Elle projette un séjour de cinq mois. Faites une liste des spectacles que vous pourrez lui proposer. ______

______

______

______

______

______

______

2. Vous voulez améliorer votre français en allant voir des pièces de théâtre. Quelles pièces pourrez-vous voir au printemps? ______

______

______

______

______

______

______

3. Un de vos copains aime le jazz et la guitare. Quand lui faut-il être à Paris? Que peut-il voir à Paris? ______

______

______

______

______

______

______

Nom ______________________________ Classe ______________ Date ______________

4. Votre tante s'intéresse à la musique et à l'opéra. Elle projette une visite de deux mois. Écrivez-lui à propos des concerts et des opéras présentés à Paris. Suggérez-lui la période idéale pour sa visite.

_________________________,

____

____

____

____

____

____

____

____

____

____

____

____

____

____

____

____

B. Lisez la liste des spectacles à la page suivante. Essayez d'en comprendre le sens général de chaque spectacle sans vous référer au dictionnaire.

LES SAMEDIS INTERNATIONAUX

LABATT BLEUE

Des vedettes de premier plan, les «monstres sacrés» du monde du spectacle brillent aux feux de la rampe de l'Agora tous les samedis à compter du 28 juin. De la France, des États-Unis, du Québec, des spectacles de variété et de blues qui plaisent autant par la qualité que l'originalité et qui sont offerts à prix populaire. Un rendez-vous international.

Renaud
Le grand contestataire en chansons, qui sait choquer, émouvoir, attendrir. Celui à qui les Anglais n'ont pas encore pardonné un certain «éloge à Miss Maggie»...
Une collaboration des productions 

5 JUILLET

Zamfir et l'Orchestre métropolitain de Montréal
Zamfir, génie de la flûte de Pan, donne le ton à l'Orchestre métropolitain de Montréal, dirigé par Josée-Andrée Gendille.

12 JUILLET

Soirée de jazz et blues
Ce qui arrive quand on réunit Vic Vogel, Gerry Boulet d'Offenbach et leurs invités: une explosion de rythme, d'improvisations libres, de cavalcades sonores qui vous réchauffent l'atmosphère en deux temps, trois mouvements. L'entrée est gratuite.

19 JUILLET

Claude Dubois et Marjolène Morin
Marjo, rockeuse, électrisante, endiablée...
Claude Dubois, parfois tendre, souvent déchaîné...
Une association qui fait des étincelles et nous en montre de toutes les couleurs.

Michel Fugain et le Groupe vocal (80)
Une rétrospective à la mesure de Fugain et de ses oeuvres. Les effluves du Big Bazar et nombre de chansons qu'il a faites pour d'autres, puisqu'il est d'abord un compositeur. Un spectacle qui prend toute son ampleur, sa couleur par un Fugain plus en forme que jamais et les 50 chanteurs du Groupe vocal (80).

Soirée cabaret

Juliette Greco

Ertha Kitt

Marjolène Morin

Sur une mise en scène signée Mouffe, un mélange exceptionnel de tendresse à la Greco, de fougue toute Marjo et de charme vocal unique à la manière de Kitt. Un trio qui recrée avec splendeur l'ambiance, l'intimité et la complicité du cabaret. Une oeuvre de composition, un spectacle d'envergure véritablement internationale, un tour de force empreint d'audace et de plénitude.

Nom ______________________ Classe ____________ Date ____________

1. Quels sont les attributs du chanteur français Renaud? ____________

____

____

____

____

2. Lequel des spectacles vous tente le plus au mois de juillet? Pourquoi? ____

____

____

____

____

3. Selon vous, quel spectacle une personne âgée aimerait-elle le plus?

   Pourquoi? ____________________________________

____

____

____

____

Leçon 14

ÉTUDE DU LEXIQUE

A. *Une guerre civile.* Récrivez le passage suivant en remplaçant les mots soulignés par une expression équivalente.

Au point du jour, la paix semblait prédominer; mais on savait par avance que la populace aggressive ferait une autre manifestation; il fallait s'y soumettre. Les révolutionnaires étaient armés autant que possible. Trop arrogants pour accepter des conseils, ils voulaient provoquer une réaction, aller plus vite que prévu. Mais leur stratégie n'était pas bien organisée. Le jour précédent, après une bataille pleine de sang, c'était l'évasion désordonnée car ils n'avaient pas l'appui des classes dirigeantes. Mais ils refusaient de reculer. Ils éloignaient toute notion de négociation ou de compromis, en remarquant que ces méthodes n'aboutiraient à rien. Le peuple se plaignait, mais ceux qui étaient riches n'écoutaient pas. À partir de ce moment, c'était la lutte armée.

Nous étions protégés derrière un mur en gravier quand un gros type arriva à bout de souffle. On avait réduit au non-être les maisons des nobles. La guerre civile avait commencé!

____

____

____

____

____

B. *Toujours la guerre!* Complétez les phrases suivantes avec les mots de la liste ci-dessous.

béton planète esclave rosée acier tailler

1. Ils avaient des épées en ________________.
2. Avec son couteau, il se ________________ les ongles.
3. Arrêter la course aux armements est la seule façon de sauver notre ________________.
4. Un maître veut toujours avoir des ________________.
5. La ________________ était si forte ce matin que nos uniformes furent trempés.
6. Les casernes étaient faites en ________________.

Nom ______________________ Classe ______________ Date ______________

GRAMMAIRE

I. La voix passive

A. *La révolution.* Transformez les phrases actives en phrases passives. Attention au temps des verbes.

1. Le peuple a fait une manifestation. ______________________

____

2. Les révolutionnaires ont jeté des bombes. ______________________

____

3. Les révolutionnaires avaient accusé l'administration d'injustice. __________

____

4. Les policiers chassaient la populace qui fuyait. ______________________

____

5. La populace admirait les révolutionnaires. ______________________

____

6. Le peuple suivit les révolutionnaires. ______________________

____

7. Les riches soutenaient les nobles. ______________________

____

8. Les nobles avaient persécuté le peuple. ______________________

____

9. Le peuple constata les injustices. ______________________

____

10. Un mur nous protégeait contre la furie du peuple. ______________________

____

B. *La lutte armée.* Donnez la forme active des phrases suivantes en vous servant du pronom indéfini **on.**

1. Les préparatifs ont été faits. ______________________________

____

2. Des armes ont été achetées. ______________________________

____

3. Leur bon fonctionnement a été vérifié. ______________________________

____

4. Une attaque a été planifiée. ______________________________

____

5. Les rues ont été marquées. ______________________________

____

6. Des maisons ont été déjà détruites. ______________________________

____

7. La guerre civile était commencée. ______________________________

____

C. *L'insurrection.* Employez la construction pronominale à sens passif dans les phrases suivantes.

1. On comprenait leur zèle révolutionnaire. ______________________________

____

2. On comprenait leurs griefs. ______________________________

____

3. On voyait la déception du peuple. ______________________________

____

4. On voyait leur impatience. ______________________________

____

5. On vendait des armes. ____

____

6. On préparait une guerre civile. ________________________________

____

7. On allait faire une révolution. ________________________________

____

II. Faire "causatif"

A. Vous êtes interrogé par un journaliste qui pose des questions à propos des espions. Transformez les phrases suivantes selon l'exemple.

Exemple: Est-ce que l'espion a répondu? (les autorités)
Les autorités l'ont fait répondre.

1. Est-ce que l'espion a parlé? (les autorités) ________________________

____

2. L'espion a-t-il avoué ses actions? (les autorités) ____________________

____

3. Est-ce que les espions sont partis? (le président) ____________________

____

4. Est-ce que les espions ont arrêté de voler des documents? (on) __________

____

5. Les espions ont-ils changé leurs méthodes? (nous) ____________________

____

B. *James Bond et les agents doubles.* Transformez les phrases suivantes selon l'exemple.

Exemple: L'agent double a avoué ses actions.
James Bond les lui a fait avouer.

1. L'agent double a livré son secret. ________________________________

____

2. Les agents doubles ont livré leurs secrets. ____________________

____

3. L'agent double a confessé ses crimes. ____________________

____

4. Les agents doubles ont rendu l'argent. ____________________

____

5. Les agents doubles ont révélé leurs contacts. ____________________

____

6. Ils ont exposé la source de leur revenu. ____________________

____

C. Vous écoutez parler un orateur. Décrivez les réactions de la foule.

Exemple: On l'a écouté.
Il s'est fait écouter.

1. On l'a compris. ____________________
2. On l'a applaudi. ____________________
3. On l'a suivi. ____________________
4. On l'admire. ____________________
5. On l'imite. ____________________

D. On vous pose des questions sur les agents secrets.

Exemple: Ont-ils fait acheter des armes par leur gouvernement?
Oui, ils lui en ont fait acheter.

1. Ont-ils fait construire ces avions par l'état? ____________________

____

2. Ont-ils fait fabriquer des chars par le gouvernement? ____________________

____

3. Ont-ils fait faire cette bombe par des officiels du gouvernement? ________

____

4. Est-ce qu'ils ont fait taire leurs activités à ces officiels? ________

____

5. Est-ce qu'ils ont fait détruire les papiers dangereux par ces officiels? ________

____

6. Est-ce que le chef a fait sauter le palais par un agent secret? ________

____

E. Répondez aux questions qu'on vous pose à propos d'un soldat blessé.

Exemple: C'est vous qui lui faites les repas?
Oui, il me les fait faire.

1. Est-ce vous qui lui apportez les repas? ________

____

2. Est-ce vous qui lui avez pansé les blessures? ________

____

3. Est-ce vous qui lui lisez des histoires? ________

____

4. Est-ce vous qui lui faites la cuisine? ________

____

5. Est-ce vous qui lui changez les draps? ________

____

6. Est-ce vous qui lui préparez son bain? ________

____

THÈME

Donnez l'équivalent en français des phrases suivantes.

1. I had it done by the hairdresser.

2. She has her dresses made by a dress maker.

3. That is not done in France!

4. He is admired by everyone.

5. Bombs were exploded in several quarters of the city by terrorists.

6. You're going to get yourself run over if you don't watch out.

EXERCICES PRATIQUES

Étudiez le sondage des opinions des Français pendant l'été 1985. Répondez aux questions suivantes. Écrivez des phrases complètes.

Nom ______________________ Classe ______________ Date ______________

Optimisme et pessimisme

60% pensent que les choses vont aller plus mal

☐ **Question**: Quand vous regardez la manière dont évoluent la France et les Français, avez-vous l'impression que les choses vont en s'améliorant ou au contraire qu'elles ont tendance à aller plus mal?

	Septembre 1985	Depuis juillet 1985
● Les choses vont en s'améliorant	12	+3
● Elles ont tendance à aller plus mal	60	-5
● Il n'y a pas de changement	26	+2
● Sans opinion	2	--
	100%	100%

47% pensent qu'il y aura beaucoup de conflits sociaux...

☐ **Question**: Pensez-vous qu'il va y avoir dans les deux ou trois mois à venir beaucoup ou peu de conflits sociaux ?

	Septembre 1985	Depuis juillet 1985
● Beaucoup de conflits sociaux	47	+3
● Peu de conflits sociaux	38	-3
● Sans opinion	15	--
	100%	100%

... et 36% ont peur du recours à la violence

☐ **Question**: À votre avis, est-ce que, dans les deux ou trois mois à venir, les principaux problèmes qui vont se poser en France. . .

	Septembre 1985	Depuis juillet 1985
... pourront être résolus par la négociation et le compromis	51	+1
...ou est-ce qu'ils risquent d'entraîner le recours aux affrontements et à la violence	36	-3
● Sans opinion	13	+2
	100%	100%

1. Combien de Français pensent que rien n'a changé? ______________________

____

2. Combien de Français pensent que les choses vont en s'améliorant? ______

____

3. Quel pourcentage des Français pensent que les choses ont tendance à aller plus mal? ____

____

4. Depuis juillet, est-ce que le nombre d'optimistes a augmenté ou a diminué? Et le nombre de pessimistes? ______________________________________

____

____

5. Quant aux conflits sociaux, quels changements y a-t-il dans les attitudes des Français? ____

____

____

____

6. Quel pourcentage de Français avaient peur du recours à la violence en juillet 1985? Et en septembre? ______________________________________

____

____

7. Toute chose considérée, est-ce que les Français étaient plus pessimistes en juillet ou en septembre? Expliquez. ____________________________

____

____

Leçon facultative

ÉTUDE DU LEXIQUE

Récrivez la lettre suivante en substituant une expression équivalente aux mots soulignés. Changez la structure de la phrase s'il le faut.

Chère Marie-Christine,

Je t'écris de Paris où je me sens toujours mal à l'aise. Je me dis en vain que je vais bientôt m'adapter à cette ville, je n'arrive pas encore à me sentir calme. Je vis un peu retirée de la société, à une certaine distance, si tu veux, car mes recherches ont envahi ma vie. Étant timide, j'ai levé une barrière entre moi et les autres, ce qui m'enlève beaucoup de plaisir. On n'agit pas ainsi sans subir une punition et ma santé est devenue fragile. Pourtant, il y a deux semaines, j'ai fait la connaissance de François: ce fut l'amour soudain. Je suis sérieuse! Je me suis efforcée en vain de faire semblant de ne pas le remarquer, son allure, sa voix, enfin tout m'a charmée. Il me courtise depuis ce jour-là et je ne crois pas pouvoir résister encore longtemps, mais je ne veux pas être trompée encore une fois... Si j'ai un souhait dans la vie, c'est de m'ouvrir pleinement, car je suis au moment le plus beau de mon âge, mais comment prendre littéralement un homme si dévoué qui me complimente à tous les moments, qui au premier coup me promet de ne jamais me tromper, qui veut s'occuper de mon bonheur? Son caractère se distingue tellement de celui de mon ex-mari que je me méfie de lui. Pourtant, il n'est pas doué d'une patience inébranlable, et je dois prendre une décision bientôt. Qu'est-ce que tu me conseilles, ma chère amie?

Déchirée,

Marise

Nom ______________________ Classe ______________ Date ______________

GRAMMAIRE

I. L'imparfait du subjonctif

Un chagrin d'amour. Mettez les phrases suivantes dans le style de la conversation en remplaçant l'imparfait du subjonctif par le subjonctif présent.

1. Il aurait fallu que Marise fût moins farouche. ______________________

____

2. Marise demandait que François eût plus de patience. ______________________

____

3. Elle ne voulait pas qu'il la blessât. ______________________

____

4. Elle souhaitait que Marie-Christine connût François. ______________________

____

5. François voudrait que Marise tombât amoureuse de lui. ______________________

____

6. Il aurait voulu qu'elle l'aimât sans hésiter. ______________________

____

7. Marie-Christine comprenait que Marise pût avoir des doutes. ______________________

____

8. Elle voulait que Marise eût plus confiance en elle. ______________________

____

II. Le plus-que-parfait du subjonctif

A. Remplacez les temps littéraires par les temps du langage courant.

1. Marise s'en alla sans que François eût pu lui parler. ______________________

____

2. Elle partit avant qu'il ne lui eût dit bonjour. ______________________

____

3. Il fut heureux qu'elle fût revenue au café le lendemain. ______________

____

4. Marise fut affligée que son mari l'eût trompée. __________________

____

5. Marie-Christine s'étonna que les deux n'eussent pas encore été amants.

____

____

B. Remplacez les temps littéraires par les temps du langage courant.

1. Si Marise eût été plus facile, François ne l'eût peut-être pas poursuivie avec tant d'empressement. ______________________________

____

2. Si François fût venu dans sa vie plus tard, elle se fût épanouie plus facilement. ______________________________

____

3. Rien ne l'eût arrêté de l'aimer. ______________________________

____

4. Quel amour n'eût pas paru dangereux après son divorce! ____________

____

5. Marise fut la femme la plus intelligente qu'il eût pu rencontrer. __________

____

III. Le passé antérieur et le passé surcomposé

A. *Toujours l'amour!* Transformez les phrases selon l'exemple.

Exemple: Marise rentra et elle lui écrivit aussitôt.
Aussitôt que Marise fut rentrée, elle lui écrivit.

Nom ______________________________ Classe ______________ Date ______________

1. Elle fut trompée et elle résolut de divorcer aussitôt. ____________________

____

2. François la vit et il eut le coup de foudre aussitôt. ____________________

____

3. Marise remarqua François et elle tomba amoureuse aussitôt. ____________

____

4. Elle revint chez elle et elle se désola aussitôt. ________________________

____

5. Marie-Christine lut la lettre et elle y répondit aussitôt. ________________

____

B. Substituez les temps du langage courant aux temps littéraires.

Exemple: Sitôt qu'elle eut vu François, elle tomba amoureuse.
Sitôt qu'elle a vu François, elle est tombée amoureuse.

1. À peine eut-il vu Marise qu'il tomba amoureux. ______________________

____

2. Lorsqu'il eut compris ses problèmes, il fut découragé. ________________

____

3. Quand elle eut écrit à son amie, elle prit une décision. ________________

____

4. Dès que les cafés eurent fini le service, elle rentra. __________________

____

5. Après qu'elle eut rencontré François, elle sut qu'elle était vulnérable. _____

____

THÈME

Donnez l'équivalent en français des phrases suivantes.

1. As soon as I saw him, I fell in love. ______________________________

____

2. Scarcely had he met her, when he knew he loved her. ______________________

____

3. He would have preferred that she be less timid. ______________________

____

4. After she had divorced, she met François. ______________________

____

EXERCICES PRATIQUES

Étudiez la carte qui célèbre la fête du Saint-Valentin et répondez aux questions suivantes.

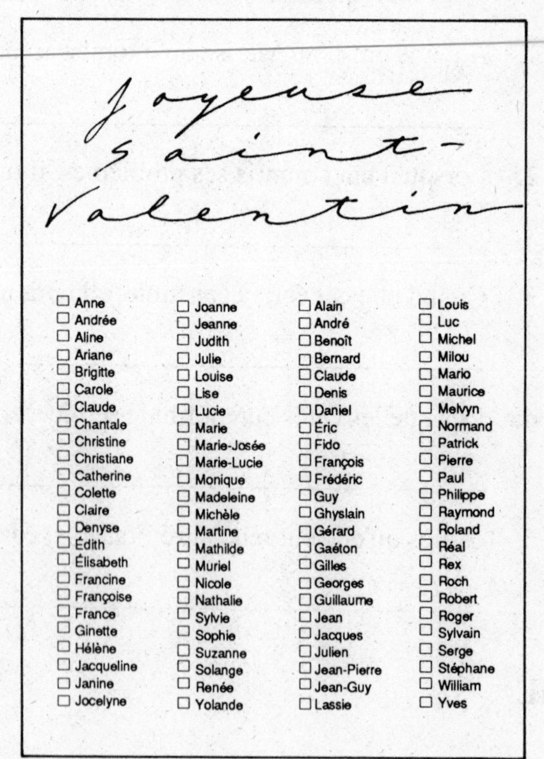

Nom ______________________ **Classe** ____________ **Date** ____________

1. Est-ce que vous aimeriez recevoir une telle carte? Pourquoi? ____________

____

____

____

____

____

2. Est-ce que vous trouvez la carte comique ou offensante? Pourquoi? ________

____

____

____

____

____

3. Aimeriez-vous envoyer cette carte à quelqu'un? Si oui, quel est le rapport que vous avez avec cette personne? ____________________

____

____

____

____

____

RÉPONSES AUX MOTS CROISÉS

Leçon 1

A	V	E	R	T	I	R	■
V	I	T	E	■	D	U	R
O	E	U	V	R	E	S	■
I	■	D	E	■	E	S	T
R	U	E	S	■	■	E	U

Leçon 2

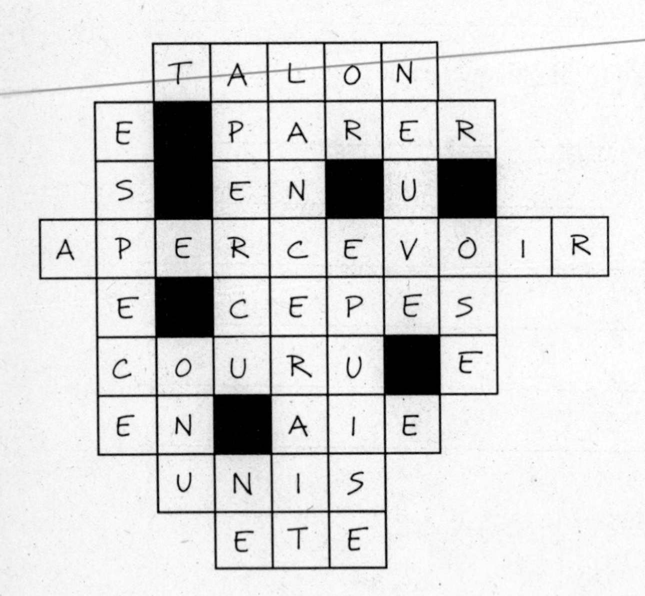

Leçon 7

P A
REPASSER
AU CITE
CRUCHE P
C RIE OR
O GAMINE
M E A EN
MUNIS RDA
O T AERIEN
DIS EMUE
E X

	D	E	C	O	N	C	E	R	T	A	N	T	S
	E	P	I	■	■	O	N	■	O	■	I	R	A
	B	A	R	■	E	N	V	E	R	S	■	A	U
A	R	R	E	T	■	S	E	R	T	■	A	I	T
■	O	G	■	A	U	T	R	E	■	■	■	T	E
L	U	N	E	S	■	A	S	S	I	S	T	E	R
O	I	E	■	S	O	T	■	■	■	E	■	U	■
I	L	■	G	E	■	E	P	O	U	S	E	R	A
	L	■	A	■	E	■	U	R	S	S	■	■	M
	A	N	G	I	N	E	■	N	A	I	T	R	E
	R	I	■	L	I	G	N	E	■	O	■	A	N
	D	E	C	E	V	O	I	R	■	N	O	T	E
					R								
					E								

Texte authentique de *Phèdre* (Acte V, Scène 6), pour l'exercice B à la page 206.

Cependant, sur le dos de la plaine liquide,
S'élève à gros bouillons une montagne humide;
L'onde approche, se brise, et vomit à nos yeux,
Parmi des flots d'écume, un monstre furieux.
Son front large est armé de cornes menaçantes;
Tout son corps est couvert d'écailles jaunissantes;
Indomptable taureau, dragon impétueux,
Sa croupe se recourbe en replis tortueux;
Ses longs mugissements font trembler le rivage.
Le ciel avec horreur voit ce monstre sauvage;
La terre s'en émeut, l'air en est infecté;
Le flot qui l'apporta recule épouvanté.